Wallace Library
DUE DATE (stamped in blue)
RETURN DATE (stamped in blac

D1213218

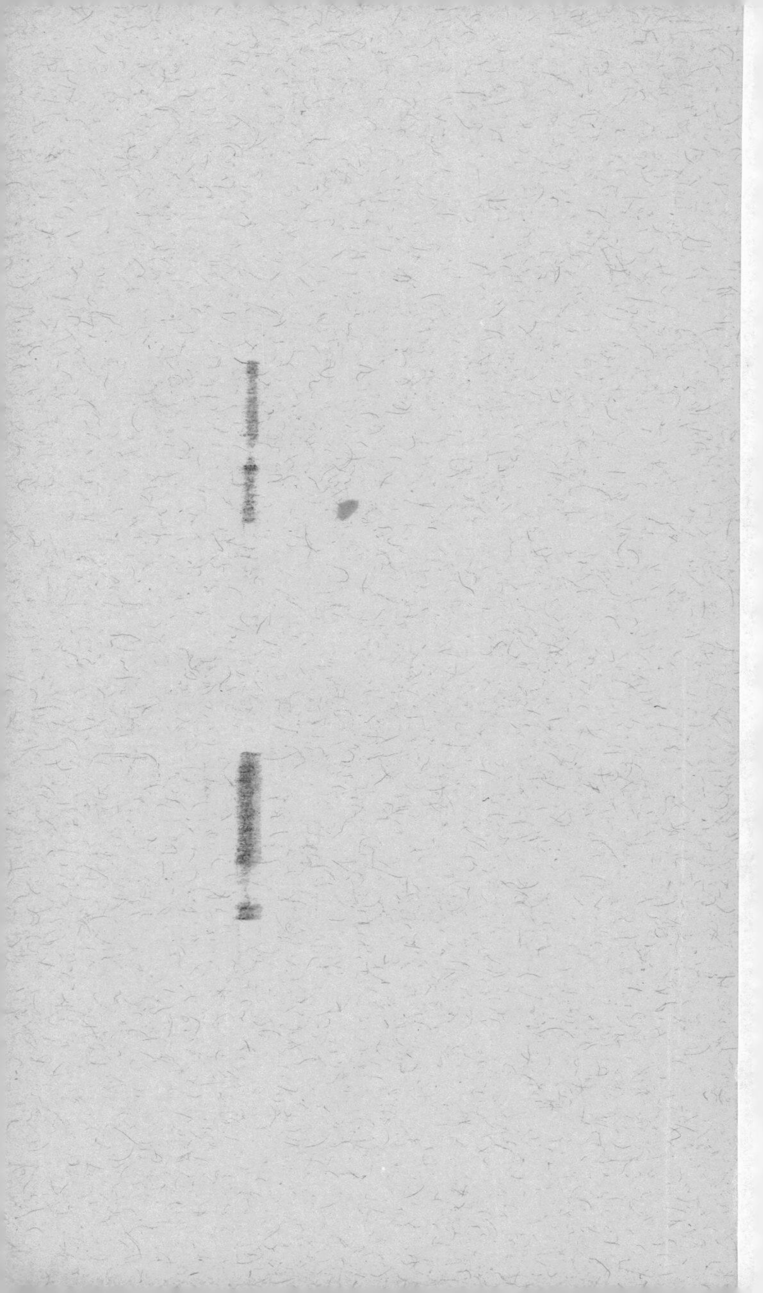

THÉÂTRE COMPLET
DE CORNEILLE
II

CE VOLUME, LE VINGTIÈME DE LA « BIBLIOTHÈQUE DE LA PLÉIADE », PUBLIÉE AUX ÉDITIONS GALLIMARD A ÉTÉ ACHEVÉ D'IMPRIMER SUR BIBLE BOLLORÉ LE TRENTE ET UN JANVIER MIL NEUF CENT SOIXANTE-DEUX PAR L'IMPRIMERIE E. DESFOSSÉS-NÉOGRAVURE.

CORNEILLE

THÉÂTRE COMPLET

II

TEXTE PRÉFACÉ ET ANNOTÉ
PAR PIERRE LIÈVRE
ÉDITION COMPLÉTÉE
PAR ROGER CAILLOIS

CE VOLUME CONTIENT :

THÉODORE
VIERGE ET MARTYRE
TRAGÉDIE CHRÉTIENNE

A MONSIEUR L.P.C.B.

MONSIEUR,

Je n'abuserai point de votre absence de la cour pour vous imposer touchant cette tragédie : sa représentation n'a pas eu grand éclat ; et quoique beaucoup en attribuent la cause à diverses conjonctures qui pourraient me justifier aucunement, pour moi je ne m'en veux prendre qu'à ses défauts, et la tiens mal faite, puisqu'elle a été mal suivie. J'aurais tort de m'opposer au jugement du public : il m'a été trop avantageux en mes autres ouvrages pour le désavouer en celui-ci ; et si je l'accusais d'erreur ou d'injustice pour Théodore, *mon exemple donnerait lieu à tout le monde de soupçonner des mêmes choses tous les arrêts qu'il a prononcés en ma faveur. Ce n'est pas toutefois sans quelque sorte de satisfaction que je vois que la meilleure partie de mes juges impute ce mauvais succès à l'idée de la prostitution que l'on n'a pu souffrir*[1], *quoiqu'on sût bien qu'elle n'aurait pas d'effet, et que pour en exténuer l'horreur j'aye employé tout ce que l'art et l'expérience m'ont pu fournir de lumières ; et certes il y a de quoi congratuler à la pureté de notre théâtre, de voir qu'une histoire qui fait le plus bel ornement du second livre des* Vierges *de saint Ambroise, se trouve trop licencieuse pour y être supportée. Qu'eût-on dit si, comme ce grand docteur de l'Église, j'eusse fait voir Théodore dans le lieu infâme, si j'eusse décrit les diverses agitations de son âme durant qu'elle y fut, si j'eusse figuré les troubles qu'elle y ressentit au premier moment qu'elle y vit entrer Didyme? C'est là-dessus que ce grand saint fait triompher son éloquence, et c'est pour ce spectacle qu'il invite particulièrement les vierges à ouvrir les yeux. Je l'ai dérobé à la vue, et, autant que j'ai pu, à l'imagination de mes auditeurs ; et après y avoir consumé toute mon adresse, la modestie de notre scène a désavoué, comme indigne d'elle, ce peu que la nécessité de mon sujet m'a forcé d'en faire connaître. Après cela, j'oserai bien dire que ce n'est pas contre des comédies pareilles aux nôtres que déclame saint Augustin, et que ceux que le scrupule, ou le caprice, ou le zèle en rend opiniâtres ennemis, n'ont pas grande raison de s'appuyer de son autorité. C'est avec justice qu'il condamne celles de son temps, qui ne méritaient que trop le nom qu'il leur donne de spectacles de turpitude ; mais c'est avec injustice qu'on veut étendre cette condamnation jusqu'à celles du nôtre, qui ne contiennent, pour l'ordinaire, que des exemples d'innocence, de vertu et de piété. J'aurais mauvaise grâce de vous en entretenir plus au long : vous êtes déjà trop persuadé de ces vérités, et ce n'est pas mon dessein d'entreprendre ici de désabuser ceux qui ne veulent pas l'être. Il est juste qu'on les abandonne à leur aveuglement volontaire, et que pour peine de la trop facile croyance qu'ils donnent à des invectives mal fondées, ils demeurent privés du plus agréable et du plus utile des divertissements dont l'esprit humain soit capable. Contentons-nous d'en jouir sans leur en faire part; et souffrez que, sans faire aucun effort pour les guérir de leur faiblesse, je finisse en vous assurant que je suis et serai toute ma vie,*

MONSIEUR,

Votre très-humble et très-obligé serviteur,

CORNEILLE.

EXAMEN

La représentation de cette tragédie n'a pas eu grand éclat, et sans chercher des couleurs à la justifier, je veux bien ne m'en prendre qu'à ses défauts, et la croire mal faite, puisqu'elle a été mal suivie. J'aurais tort de m'opposer au jugement du public : il m'a été trop avantageux en d'autres ouvrages pour le contredire en celui-ci; et si je l'accusais d'erreur ou d'injustice pour *Théodore,* mon exemple donnerait lieu à tout le monde de soupçonner des mêmes choses les arrêts qu'il a prononcés en ma faveur. Ce n'est pas toutefois sans quelque satisfaction que je vois la meilleure et la plus saine partie de mes juges imputer ce mauvais succès à l'idée de la prostitution, qu'on n'a pu souffrir, bien qu'on sût assez qu'elle n'aurait point d'effet, et que pour en exténuer l'horreur, j'aye employé tout ce que l'art et l'expérience m'ont pu fournir de lumières; pouvant dire du quatrième acte de cette pièce, que je ne crois pas en avoir fait aucun où les diverses passions soient ménagées avec plus d'adresse, et qui donne plus de lieu à faire voir tout le talent d'un excellent acteur. Dans cette disgrâce, j'ai de quoi congratuler à la pureté de notre scène, de voir qu'une histoire qui fait le plus bel ornement du second livre des *Vierges* de saint Ambroise, se trouve trop licencieuse pour y être supportée. Qu'eût-on dit si, comme ce grand docteur de l'Église, j'eusse fait voir cette vierge dans le lieu infâme? si j'eusse décrit les diverses agitations de son âme pendant qu'elle y fut? si j'eusse peint les troubles qu'elle ressentit au premier moment qu'elle y vit entrer Didyme? C'est là-dessus que ce grand saint fait triompher cette éloquence qui convertit saint Augustin, et c'est pour ce spectacle qu'il invite particulièrement les vierges à ouvrir les yeux. Je l'ai dérobé à la vue, et, autant que je l'ai pu, à l'imagination de mes auditeurs; et après y avoir consumé toute mon industrie, la modestie de notre théâtre a désavoué ce peu que la nécessité de mon sujet m'a forcé d'en faire connaître.

Je ne veux pas toutefois me flatter jusqu'à dire que cette fâcheuse idée aye été le seul défaut de ce poëme. A le bien examiner, s'il y a quelques caractères vigoureux et animés, comme ceux de Placide et de Marcelle, il y en a de traînants, qui ne peuvent avoir grand charme ni grand feu sur le théâtre. Celui de Théodore est entièrement froid : elle n'a aucune passion qui l'agite; et là même où son zèle pour Dieu, qui occupe toute son âme, devrait éclater le plus, c'est-à-dire dans sa contestation avec Didyme pour le martyre, je lui ai donné si peu de chaleur, que cette scène, bien que très-courte, ne laisse pas d'ennuyer. Aussi, pour en parler sainement, une vierge et martyre sur un théâtre n'est autre chose qu'un Terme qui n'a ni jambes ni bras, et par conséquent point d'action.

Le caractère de Valens ressemble trop à celui de Félix dans *Polyeucte,* et a même quelque chose de plus bas, en ce qu'il se ravale à craindre sa femme, et n'ose s'opposer à ses fureurs, bien que dans l'âme il tienne le parti de son fils. Tout gouverneur qu'il est, il demeure les bras croisés, au cinquième acte, quand il les voit prêts à s'entre-immoler l'un à l'autre, et attend le succès de leur haine mutuelle pour se ranger du côté du plus fort. La connaissance que Placide, son fils, a de cette bassesse d'âme, fait qu'il le regarde si bien comme un esclave de Marcelle, qu'il ne daigne s'adresser à lui pour obtenir ce qu'il souhaite en faveur de sa maîtresse, sachant bien qu'il le ferait inutilement. Il aime mieux se jeter aux pieds de cette marâtre impérieuse, qu'il hait et qu'il a bravée, que de perdre des prières et des soupirs auprès d'un père qui l'aime dans le fond de l'âme et n'oserait lui rien accorder.

Le reste est assez ingénieusement conduit; et la maladie de Flavie, sa mort, et les violences des désespoirs de sa mère qui la venge, ont assez de justesse. J'avais peint des haines trop envenimées pour finir autrement; et j'eusse été ridicule si j'eusse fait faire au sang de ces martyrs le même effet sur les cœurs de Marcelle et de Placide, que fait celui de Polyeucte sur ceux de Félix et de Pauline. La mort de Théodore peut servir de preuve à ce que dit Aristote, que, *quand un ennemi tue son ennemi, il ne s'excite par là aucune pitié dans l'âme des spectateurs*[2]. Placide en peut faire naître, et purger ensuite ces forts attachements d'amour qui sont cause de son malheur; mais les funestes désespoirs de Marcelle et de Flavie, bien que l'une ni l'autre ne fasse de pitié, sont encore plus capables de purger l'opiniâtreté à faire des mariages par force, et à ne se point départir du projet qu'on en fait par un accommodement de famille entre des enfants dont les volontés ne s'y conforment point quand ils sont venus en âge de l'exécuter.

L'unité de jour et de lieu se rencontre en cette pièce; mais je ne sais s'il n'y a point une duplicité d'action, en ce que Théodore, échappée d'un péril, se rejette dans un autre de son propre mouvement. L'histoire le porte; mais la tragédie n'est pas obligée de représenter toute la vie de son héros ou de son héroïne, et doit ne s'attacher qu'à une action propre au théâtre. Dans l'histoire même, j'ai trouvé toujours quelque chose à dire en cette offre volontaire qu'elle fait de sa vie aux bourreaux de Didyme. Elle venait d'échapper de la prostitution, et n'avait aucune assurance qu'on ne l'y condamnerait point de nouveau, et qu'on accepterait sa vie en échange de sa pudicité qu'on avait voulu sacrifier. Je l'ai sauvée de ce péril, non-seulement par une révélation de Dieu qu'on se contenterait de sa mort, mais encore par une raison, assez vraisemblable, que Marcelle, qui vient de voir expirer sa fille unique entre ses bras, voudrait obstinément du sang pour sa vengeance; mais avec toutes ces précautions, je ne vois pas comment je pourrais justifier ici cette duplicité de péril, après l'avoir condamnée dans l'*Horace*. La seule couleur qui pourrait y servir de prétexte, c'est que la pièce ne serait pas achevée si on ne savait ce que devient Théodore après être échappée de l'infamie, et qu'il n'y a point de fin glorieuse ni même raisonnable pour elle que le martyre, qui est historique : du moins l'imagination ne m'en offre point. Si les maîtres de l'art veulent consentir que cette nécessité de faire connaître ce qu'elle devient suffise pour réunir ce nouveau péril à l'autre, et empêcher qu'il n'y aye duplicité d'action, je ne m'opposerai pas à leur jugement, mais aussi je n'en appellerai pas quand ils la voudront condamner.

ACTEURS

VALENS, *Gouverneur d'Antioche.*
PLACIDE, *Fils de Valens et amoureux de Théodore.*
CLÉOBULE, *Ami de Placide.*
DIDYME, *Amoureux de Théodore.*
PAULIN, *Confident de Valens.*
LYCANTE, *Capitaine d'une cohorte romaine.*
MARCELLE, *Femme de Valens.*
THÉODORE, *Princesse d'Antioche.*
STÉPHANIE, *Confidente de Marcelle.*

La scène est à Antioche, dans le palais du Gouverneur.

ACTE PREMIER

SCÈNE PREMIÈRE

PLACIDE, CLÉOBULE

PLACIDE

IL est vrai, Cléobule, et je veux l'avouer,
La fortune me flatte assez pour m'en louer :
Mon père est gouverneur de toute la Syrie;
Et comme si c'était trop peu de flatterie,
Moi-même elle m'embrasse, et vient de me donner,
Tout jeune que je suis, l'Égypte à gouverner.
Certes, si je m'enflais de ces vaines fumées
Dont on voit à la cour tant d'âmes si charmées,
Si l'éclat des grandeurs avait pu me ravir,
J'aurais de quoi me plaire et de quoi m'assouvir.
Au-dessous des Césars, je suis ce qu'on peut être :
A moins que de leur rang le mien ne saurait croître;
Et pour haut qu'on ait mis des titres si sacrés,
On y monte souvent par de moindres degrés.
Mais ces honneurs pour moi ne sont qu'une infamie,
Parce que je les tiens d'une main ennemie,
Et leur plus doux appas qu'un excès de rigueur,
Parce que pour échange on veut avoir mon cœur.
On perd temps toutefois, ce cœur n'est point à vendre.
Marcelle, en vain par là tu crois gagner un gendre :
Ta Flavie à mes yeux fait toujours même horreur.
Ton frère Marcellin peut tout sur l'Empereur.
Mon père est ton époux, et tu peux sur son âme
Ce que sur un mari doit pouvoir une femme :
Va plus outre, et par zèle ou par dextérité,
Joins le vouloir des Dieux à leur autorité;
Assemble leur faveur, assemble leur colère :
Pour aimer je n'écoute Empereur, Dieux, ni père;
Et je la trouverais un objet odieux
Des mains de l'Empereur, et d'un père, et des Dieux.

CLÉOBULE

Quoique pour vous Marcelle ait le nom de marâtre,
Considérez, Seigneur, qu'elle vous idolâtre :
Voyez d'un œil plus sain ce que vous lui devez.
Les biens et les honneurs qu'elle vous a sauvés.
Quand Dioclétien fut maître de l'empire...

PLACIDE

Mon père était perdu, c'est ce que tu veux dire.
Sitôt qu'à son parti le bonheur eut manqué,
Sa tête fut proscrite, et son bien confisqué;
On vit à Marcellin sa dépouille donnée :
Il sut la racheter par ce triste hyménée;
Et forçant son grand cœur à ce honteux lien,
Lui-même il se livra pour rançon de son bien.
Dès lors on asservit jusques à mon enfance :
De Flavie avec moi l'on conclut l'alliance,
Et depuis ce moment Marcelle a fait chez nous
Un destin que tout autre aurait trouvé fort doux.
La dignité du fils, comme celle du père,
Descend du haut pouvoir que lui donne ce frère;
Mais à la regarder de l'œil dont je la voi,
Ce n'est qu'un joug pompeux qu'on veut jeter sur moi.
On élève chez nous un trône pour sa fille;
On y sème l'éclat dont on veut qu'elle brille;
Et dans tous ces honneurs je ne vois en effet
Qu'un infâme dépôt des présents qu'on lui fait.

CLÉOBULE

S'ils ne sont qu'un dépôt du bien qu'on lui veut faire,
Vous en êtes, Seigneur, mauvais dépositaire,
Puisqu'avec tant d'effort on vous voit travailler
A mettre ailleurs l'éclat dont elle doit briller.
Vous aimez Théodore, et votre âme ravie
Lui veut donner ce trône élevé pour Flavie :
C'est là le fondement de votre aversion.

PLACIDE

Ce n'est point un secret que cette passion :
Flavie, au lit malade, en meurt de jalousie;
Et dans l'âpre dépit dont sa mère est saisie,
Elle tonne, foudroie, et pleine de fureur,

Menace de tout perdre auprès de l'Empereur.
Comme de ses faveurs, je ris de sa colère :
Quoi qu'elle ait fait pour moi, quoi qu'elle puisse faire,
Le passé sur mon cœur ne peut rien obtenir,
Et je laisse au hasard le soin de l'avenir.
Je me plais à braver cet orgueilleux courage :
Chaque jour pour l'aigrir je vais jusqu'à l'outrage;
Son âme impérieuse et prompte à fulminer
Ne saurait me haïr jusqu'à m'abandonner.
Souvent elle me flatte alors que je l'offense,
Et quand je l'ai poussée à quelque violence,
L'amour de sa Flavie en rompt tous les effets,
Et l'éclat s'en termine à de nouveaux bienfaits.
Je la plains toutefois; et, plus à plaindre qu'elle,
Comme elle aime un ingrat, j'adore une cruelle,
Dont la rigueur la venge, et rejetant ma foi,
Me rend tous les mépris que Flavie a de moi.
Mon sort des deux côtés mérite qu'on le plaigne :
L'une me persécute, et l'autre me dédaigne;
Je hais qui m'idolâtre, et j'aime qui me fuit,
Et je poursuis en vain, ainsi qu'on me poursuit[3].
Telle eſt de mon deſtin la fatale injuſtice;
Telle eſt la tyrannie ensemble et le caprice
Du démon aveuglé qui sans discrétion
Verse l'antipathie et l'inclination.
Mais puisqu'à d'autres yeux je parais trop aimable,
Que peut voir Théodore en moi de méprisable?
Sans doute elle aime ailleurs, et s'impute à bonheur
De préférer Didyme au fils du gouverneur.

CLÉOBULE

Comme elle je suis né, Seigneur, dans Antioche,
Et par les droits du sang je lui suis assez proche;
Je connais son courage, et vous répondrais bien
Qu'étant sourde à vos vœux elle n'écoute rien,
Et que cette rigueur dont votre amour l'accuse
Ne donne point ailleurs ce qu'elle vous refuse.
Ce malheureux rival dont vous êtes jaloux
En reçoit chaque jour plus de mépris que vous;
Mais quand même ses feux répondraient à vos flammes,
Qu'une amour mutuelle unirait vos deux âmes,
Voyez où cette amour vous peut précipiter,
Quel orage sur vous elle doit exciter,

Ce que dira Valens, ce que fera Marcelle.
Souffrez que son parent vous die enfin pour elle...

PLACIDE

Ah! si je puis encor quelque chose sur toi,
Ne me dis rien pour elle, et dis-lui tout pour moi;
Dis-lui que je suis sûr des bontés de mon père,
Ou que s'il se rendait d'une humeur trop sévère,
L'Égypte où l'on m'envoie eſt un asile ouvert
Pour mettre notre flamme et notre heur à couvert.
Là, saisis d'un rayon des puissances suprêmes,
Nous ne recevrons plus de lois que de nous-mêmes.
Quelques noires vapeurs que puissent concevoir
Et la mère et la fille ensemble au désespoir,
Tout ce qu'elles pourront enfanter de tempêtes,
Sans venir jusqu'à nous, crèvera sur leurs têtes,
Et nous érigerons en cet heureux séjour
De leur rage impuissante un trophée à l'amour.
Parle, parle pour moi, presse, agis, persuade :
Fais quelque chose enfin pour mon esprit malade;
Fais-lui voir mon pouvoir, fais-lui voir mon ardeur :
Son dédain eſt peut-être un effet de sa peur;
Et si tu lui pouvais arracher cette crainte,
Tu pourrais dissiper cette froideur contrainte,
Tu pourrais... Mais je vois Marcelle qui survient.

SCÈNE II

MARCELLE, PLACIDE, CLÉOBULE, STÉPHANIE

MARCELLE

Ce mauvais conseiller toujours vous entretient?

PLACIDE

Vous dites vrai, Madame, il tâche à me surprendre;
Son conseil eſt mauvais, mais je sais m'en défendre.

MARCELLE

Il vous parle d'aimer?

PLACIDE

Contre mon sentiment.

MARCELLE

Levez, levez le masque et parlez franchement :
De votre Théodore il eſt l'agent fidèle;
Pour vous mieux engager elle fait la cruelle,
Vous chasse en apparence, et pour vous retenir,
Par ce parent adroit vous fait entretenir.

PLACIDE

Par ce fidèle agent elle eſt donc mal servie :
Loin de parler pour elle, il parle pour Flavie;
Et ce parent adroit en matière d'amour
Agit contre son sang pour mieux faire sa cour.
C'eſt, Madame, en effet, le mal qu'il me conseille;
Mais j'ai le cœur trop bon pour lui prêter l'oreille.

MARCELLE

Dites le cœur trop bas pour aimer en bon lieu.

PLACIDE

L'objet où vont mes vœux serait digne d'un dieu.

MARCELLE

Il eſt digne de vous, d'une âme vile et basse.

PLACIDE

Je fais donc seulement ce qu'il faut que je fasse.
Ne blâmez que Flavie : un cœur si bien placé
D'une âme vile et basse eſt trop embarrassé;
D'un choix qui lui fait honte il faut qu'elle s'irrite,
Et me prive d'un bien qui passe mon mérite.

MARCELLE

Avec quelle arrogance osez-vous me parler?

PLACIDE

Au-dessous de Flavie ainsi me ravaler,
C'eſt de cette arrogance un mauvais témoignage.
Je ne me puis, Madame, abaisser davantage.

MARCELLE

Votre respect est rare, et fait voir clairement
Que votre humeur modeste aime l'abaissement.
Eh bien ! puisqu'à présent j'en suis mieux avertie,
Il faudra satisfaire à cette modestie :
Avec un peu de temps nous en viendrons à bout.

PLACIDE

Vous ne m'ôterez rien, puisque je vous dois tout.
Qui n'a que ce qu'il doit a peu de perte à faire.

MARCELLE

Vous pourrez bientôt prendre un sentiment contraire.

PLACIDE

Je n'en changerai point pour la perte d'un bien
Qui me rendra celui de ne vous devoir rien.

MARCELLE

Ainsi l'ingratitude en soi-même se flatte.
Mais je saurai punir cette âme trop ingrate;
Et pour mieux abaisser vos esprits soulevés,
Je vous ôterai plus que vous ne me devez.

PLACIDE

La menace est obscure; expliquez-la, de grâce.

MARCELLE

L'effet expliquera le sens de la menace.
Tandis, souvenez-vous, malgré tous vos mépris,
Que j'ai fait ce que sont et le père et le fils :
Vous me devez l'Égypte, et Valens, Antioche.

PLACIDE

Nous ne vous devons rien après un tel reproche.
Un bienfait perd sa grâce à le trop publier[4] :
Qui veut qu'on s'en souvienne, il le doit oublier.

MARCELLE

Je l'oublierais, ingrat, si pour tant de puissance
Je recevais de vous quelque reconnaissance.

PLACIDE

Et je m'en souviendrais jusqu'aux derniers abois,
Si vous vous contentiez de ce que je vous dois.

MARCELLE

Après tant de bienfaits, osé-je trop prétendre?

PLACIDE

Ce ne sont plus bienfaits alors qu'on veut les vendre.

MARCELLE

Que doit donc un grand cœur aux faveurs qu'il reçoit?

PLACIDE

S'avouant redevable il rend tout ce qu'il doit.

MARCELLE

Tous les ingrats en foule iront à votre école,
Puisqu'on y devient quitte en payant de parole.

PLACIDE

Je vous dirai donc plus, puisque vous me pressez :
Nous ne vous devons pas tout ce que vous pensez.

MARCELLE

Que seriez-vous sans moi?

PLACIDE

Sans vous? ce que nous sommes.
Notre empereur eſt juſte, et sait choisir les hommes;
Et mon père, après tout, ne se trouve qu'au rang
Où l'auraient mis sans vous ses vertus et son sang.

MARCELLE

Ne vous souvient-il plus qu'on proscrivit sa tête?

PLACIDE

Par là votre artifice en fit votre conquête.

MARCELLE

Ainsi de ma faveur vous nommez les effets?

PLACIDE

Un autre ami peut-être aurait bien fait sa paix;
Et si votre faveur pour lui s'est employée,
Par son hymen, Madame, il vous a trop payée.
On voit peu d'unions de deux telles moitiés;
Et la faveur à part, on sait qui vous étiez.

MARCELLE

L'ouvrage de mes mains avoir tant d'insolence!

PLACIDE

Elles m'ont mis trop haut pour souffrir une offense.

MARCELLE

Quoi? vous tranchez ici du nouveau gouverneur?

PLACIDE

De mon rang en tous lieux je soutiendrai l'honneur.

MARCELLE

Considérez donc mieux quelle main vous y porte :
L'hymen seul de Flavie en est pour vous la porte.

PLACIDE

Si je n'y puis entrer qu'acceptant cette loi,
Reprenez votre Égypte, et me laissez à moi.

MARCELLE

Plus il me doit d'honneurs, plus son orgueil me brave!

PLACIDE

Plus je reçois d'honneurs, moins je dois être esclave.

MARCELLE

Conservez ce grand cœur, vous en aurez besoin.

PLACIDE

Je le conserverai, Madame, avec grand soin;
Et votre grand pouvoir en chassera la vie
Avant que d'y surprendre aucun lieu pour Flavie.

MARCELLE

J'en chasserai du moins l'ennemi qui me nuit.

PLACIDE

Vous ferez peu d'effet avec beaucoup de bruit.

MARCELLE

Je joindrai de si près l'effet à la menace,
Que sa perte aujourd'hui me quittera la place.

PLACIDE

Vous perdrez aujourd'hui?...

MARCELLE

Théodore à vos yeux.
M'entendez-vous, Placide? Oui, j'en jure les Dieux
Qu'aujourd'hui mon courroux, armé contre son crime,
Au pied de leurs autels en fera ma victime.

PLACIDE

Et je jure à vos yeux ces mêmes immortels
Que je la vengerai jusque sur leurs autels.
Je jure plus encor, que si je pouvais croire
Que vous eussiez dessein d'une action si noire,
Il n'est point de respect qui pût me retenir
D'en punir la pensée et de vous prévenir;
Et que pour garantir une tête si chère,
Je vous irais chercher jusqu'au lit de mon père.
M'entendez-vous, Madame? Adieu : pensez-y bien;
N'épargnez pas mon sang si vous versez le sien;
Autrement ce beau sang en fera verser d'autre,
Et ma fureur n'est pas pour se borner au vôtre.

SCÈNE III

MARCELLE, STÉPHANIE

MARCELLE

As-tu vu, Stéphanie, un plus farouche orgueil?
As-tu vu des mépris plus dignes du cercueil?
Et pourrais-je épargner cette insolente vie,
Si sa perte n'était la perte de Flavie,

Dont le cruel destin prend un si triste cours
Qu'aux jours de ce barbare il attache ses jours?

STÉPHANIE

Je tremble encor de voir où sa rage l'emporte.

MARCELLE

Ma colère en devient et plus juste et plus forte,
Et l'aveugle fureur dont ses discours sont pleins
Ne m'arrachera pas ma vengeance des mains.

STÉPHANIE

Après votre vengeance appréhendez la sienne.

MARCELLE

Qu'une indigne épouvante à présent me retienne!
De ce feu turbulent l'éclat impétueux
N'est qu'un faible avorton d'un cœur présomptueux.
La menace à grand bruit ne porte aucune atteinte,
Elle n'est qu'un effet d'impuissance et de crainte;
Et qui si près du mal s'amuse à menacer
Veut amollir le coup qu'il ne peut repousser.

STÉPHANIE

Théodore vivante, il craint votre colère;
Mais voyez qu'il ne craint que parce qu'il espère;
Et c'est à vous, Madame, à bien considérer
Qu'il cessera de craindre en cessant d'espérer.

MARCELLE

Si l'espoir fait sa peur, nous n'avons qu'à l'éteindre :
Il cessera d'aimer aussi bien que de craindre.
L'amour va rarement jusque dans un tombeau
S'unir au reste affreux de l'objet le plus beau.
Hasardons; je ne vois que ce conseil à prendre.
Théodore vivante, il n'en faut rien prétendre;
Et Théodore morte, on peut encor douter
Quel sera le succès que tu veux redouter.
Quoi qu'il arrive enfin, de la sorte outragée,
C'est un plaisir bien doux que de se voir vengée.
Mais dis-moi, ton indice est-il bien assuré?

STÉPHANIE

J'en réponds sur ma tête, et l'ai trop avéré.

MARCELLE

Ne t'oppose donc plus à ce moment de joie
Qu'aujourd'hui par ta main le juste ciel m'envoie.
Valens vient à propos, et sur tes bons avis
Je vais forcer le père à me venger du fils.

SCÈNE IV

VALENS, MARCELLE, PAULIN, STÉPHANIE

MARCELLE

Jusques à quand, Seigneur, voulez-vous qu'abusée
Au mépris d'un ingrat je demeure exposée,
Et qu'un fils arrogant sous votre autorité
Outrage votre femme avec impunité?
Sont-ce là les douceurs, sont-ce là les caresses
Qu'en faisaient à ma fille espérer vos promesses,
Et faut-il qu'un amour conçu par votre aveu
Lui coûte enfin la vie et vous touche si peu?

VALENS

Plût aux Dieux que mon sang eût de quoi satisfaire
Et l'amour de la fille et l'espoir de la mère,
Et qu'en le répandant je lui pusse gagner
Ce cœur dont l'insolence ose la dédaigner !
Mais de ses volontés le ciel est le seul maître :
J'ai promis de l'amour, il le doit faire naître.
Si son ordre n'agit, l'effet ne s'en peut voir,
Et je pense être quitte y faisant mon pouvoir.

MARCELLE

Faire votre pouvoir avec tant d'indulgence,
C'est avec son orgueil être d'intelligence;
Aussi bien que le fils, le père m'est suspect,
Et vous manquez de foi comme lui de respect.
Ah ! si vous déployiez cette haute puissance
Que donnent aux parents les droits de la naissance...

VALENS

Si la haine et l'amour lui doivent obéir,
Déployez-la, Madame, à le faire haïr.

Quel que soit le pouvoir d'un père en sa famille,
Puis-je plus sur mon fils que vous sur votre fille?
Et si vous n'en pouvez vaincre la passion,
Dois-je plus obtenir sur tant d'aversion?

MARCELLE

Elle tâche à se vaincre, et son cœur y succombe;
Et l'effort qu'elle y fait la jette sous la tombe.

VALENS

Elle n'a toutefois que l'amour à dompter;
Et Placide bien moins se pourrait surmonter,
Puisque deux passions le font être rebelle :
L'amour pour Théodore, et la haine pour elle.

MARCELLE

Otez-lui Théodore; et son amour dompté,
Vous dompterez sa haine avec facilité.

VALENS

Pour l'ôter à Placide il faut qu'elle se donne.
Aime-t-elle quelque autre?

MARCELLE

Elle n'aime personne.
Mais qu'importe, Seigneur, qu'elle écoute aucuns vœux?
Ce n'est pas son hymen, c'est sa mort que je veux.

VALENS

Quoi, Madame? abuser ainsi de ma puissance!
A votre passion immoler l'innocence!
Les Dieux m'en puniraient.

MARCELLE

Trouvent-ils innocents
Ceux dont l'impiété leur refuse l'encens?
Prenez leur intérêt : Théodore est chrétienne :
C'est la cause des Dieux, et ce n'est plus la mienne.

VALENS

Souvent la calomnie...

MARCELLE

Il n'en faut plus parler,
Si vous vous préparez à le dissimuler.
Devenez protecteur de cette secte impie
Que l'Empereur jamais ne crut digne de vie;
Vous pouvez en ces lieux vous en faire l'appui;
Mais songez qu'il me reste un frère auprès de lui.

VALENS

Sans en importuner l'autorité suprême,
Si je vous suis suspect, n'en croyez que vous-même :
Agissez en ma place, et faites-la venir;
Quand vous la convaincrez, je saurai la punir;
Et vous reconnaîtrez que dans le fond de l'âme
Je prends comme je dois l'intérêt d'une femme.

MARCELLE

Puisque vous le voulez, j'oserai la mander :
Allez-y, Stéphanie, allez sans plus tarder.

(Stéphanie s'en va, et Marcelle continue à parler à Valens).

Et si l'on m'a flattée avec un faux indice,
Je vous irai moi-même en demander justice.

VALENS

N'oubliez pas alors que je la dois à tous,
Et même à Théodore, aussi bien comme à vous.

MARCELLE

N'oubliez pas non plus quelle est votre promesse.

(Valens s'en va, et Marcelle continue.)

Il est temps que Flavie ait part à l'allégresse :
Avec cette espérance allons la soulager.
Et vous, Dieux, qu'avec moi j'entreprends de venger,
Agréez ma victime, et pour finir ma peine,
Jetez un peu d'amour où règne tant de haine;
Ou si c'est trop pour nous qu'il soupire à son tour,
Jetez un peu de haine où règne tant d'amour.

ACTE II

SCÈNE PREMIÈRE

THÉODORE, CLÉOBULE, STÉPHANIE

STÉPHANIE

MARCELLE n'est pas loin, et je me persuade
Que son amour l'attache auprès de sa malade;
Mais je vais l'avertir que vous êtes ici.

THÉODORE

Vous m'obligerez fort d'en prendre le souci,
Et de lui témoigner avec quelle franchise
A ses commandements vous me voyez soumise.

STÉPHANIE

Dans un moment ou deux vous la verrez venir.

SCÈNE II

CLÉOBULE, THÉODORE

CLÉOBULE

Tandis, permettez-moi de vous entretenir,
Et de blâmer un peu cette vertu farouche,
Cette insensible humeur qu'aucun objet ne touche,
D'où naissent tant de feux sans pouvoir l'enflammer,
Et qui semble haïr quiconque l'ose aimer.
Je veux bien avec vous que dessous votre empire
Toute notre jeunesse en vain brûle et soupire;
J'approuve les mépris que vous rendez à tous :
Le ciel n'en a point fait qui soient dignes de vous;

Mais je ne puis souffrir que la grandeur romaine
S'abaissant à vos pieds ait part à cette haine,
Et que vous égaliez par vos durs traitements
Ces maîtres de la terre aux vulgaires amants.
Quoiqu'une âpre vertu du nom d'amour s'irrite,
Elle trouve sa gloire à céder au mérite;
Et sa sévérité ne lui fait point de lois
Qu'elle n'aime à briser pour un illustre choix.
Voyez ce qu'est Valens, voyez ce qu'est Placide.
Voyez sur quels États l'un et l'autre préside,
Où le père et le fils peuvent un jour régner,
Et cessez d'être aveugle et de le dédaigner.

THÉODORE

Je ne suis point aveugle, et vois ce qu'est un homme
Qu'élèvent la naissance, et la fortune, et Rome :
Je rends ce que je dois à l'éclat de son sang,
J'honore son mérite et respecte son rang;
Mais vous connaissez mal cette vertu farouche
De vouloir qu'aujourd'hui l'ambition la touche,
Et qu'une âme insensible aux plus saintes ardeurs
Cède honteusement à l'éclat des grandeurs.
Si cette fermeté dont elle est ennoblie
Par quelques traits d'amour pouvait être affaiblie,
Mon cœur, plus incapable encor de vanité,
Ne ferait point de choix que dans l'égalité;
Et rendant aux grandeurs un respect légitime,
J'honorerais Placide, et j'aimerais Didyme.

CLÉOBULE

Didyme, que sur tous vous semblez dédaigner !

THÉODORE

Didyme, que sur tous je tâche d'éloigner,
Et qui verrait bientôt sa flamme couronnée
Si mon âme à mes sens était abandonnée,
Et se laissait conduire à ces impressions
Que forment en naissant les belles passions.
Comme cet avantage est digne qu'on le craigne,
Plus je penche à l'aimer et plus je le dédaigne,
Et m'arme d'autant plus que mon cœur en secret
Voudrait s'en laisser vaincre, et combat à regret.
Je me fais tant d'effort lorsque je le méprise,

Que par mes propres sens je crains d'être surprise :
J'en crains une révolte, et que las d'obéir,
Comme je les trahis, ils ne m'osent trahir.
Voilà, pour vous montrer mon âme toute nue,
Ce qui m'a fait bannir Didyme de ma vue :
Je crains d'en recevoir quelque coup d'œil fatal,
Et chasse un ennemi dont je me défends mal.
Voilà quelle je suis et quelle je veux être;
La raison quelque jour s'en fera mieux connaître :
Nommez-la cependant vertu, caprice, orgueil,
Ce dessein me suivra jusque dans le cercueil.

CLÉOBULE

Il peut vous y pousser si vous n'y prenez garde :
D'un œil envenimé Marcelle vous regarde;
Et se prenant à vous du mauvais traitement
Que sa fille à ses yeux reçoit de votre amant,
Sa jalouse fureur ne peut être assouvie
A moins de votre sang, à moins de votre vie;
Ce n'est plus en secret que frémit son courroux,
Elle en parle tout haut, elle s'en vante à nous,
Elle en jure les Dieux; et, ce que j'appréhende,
Pour ce triste sujet sans doute elle vous mande.
Dans un péril si grand faites un protecteur.

THÉODORE

Si je suis en péril, Placide en est l'auteur;
L'amour qu'il a pour moi lui seul m'y précipite;
C'est par là qu'on me hait, c'est par là qu'on s'irrite.
On n'en veut qu'à sa flamme, on n'en veut qu'à son choix :
C'est contre lui qu'on arme ou la force ou les lois.
Tous les vœux qu'il m'adresse avancent ma ruine,
Et par une autre main c'est lui qui m'assassine.
Je sais quel est mon crime, et je ne doute pas
Du prétexte qu'aura l'arrêt de mon trépas :
Je l'attends sans frayeur; mais de quoi qu'on m'accuse,
S'il portait à Flavie un cœur que je refuse,
Qui veut finir mes jours les voudrait protéger,
Et par ce changement il ferait tout changer.
Mais mon péril le flatte et son cœur en espère
Ce que jusqu'à présent tous ses soins n'ont pu faire;
Il attend que du mien j'achète son appui :
J'en trouverai peut-être un plus puissant que lui;

Et s'il me faut périr, dites-lui qu'avec joie
Je cours à cette mort où son amour m'envoie,
Et que par un exemple assez rare à nommer,
Je périrai pour lui si je ne puis l'aimer.

CLÉOBULE

Ne vous pas mieux servir d'un amour si fidèle,
C'est...

THÉODORE

Quittons ce discours, je vois venir Marcelle.

SCÈNE III

MARCELLE, THÉODORE, CLÉOBULE,
STÉPHANIE

MARCELLE *à Cléobule.*

Quoi? toujours l'un ou l'autre est par vous obsédé?
Qui vous amène ici? Vous avais-je mandé?
Et ne pourrai-je voir Théodore ou Placide,
Sans que vous leur serviez d'interprète ou de guide?
Cette assiduité marque un zèle imprudent,
Et ce n'est pas agir en adroit confident.

CLÉOBULE

Je crois qu'on me doit voir d'une âme indifférente
Accompagner ici Placide et ma parente.
Je fais ma cour à l'un à cause de son rang,
Et rends à l'autre un soin où m'oblige le sang.

MARCELLE

Vous êtes bon parent.

CLÉOBULE

Elle m'oblige à l'être.

MARCELLE

Votre humeur généreuse aime à le reconnaître;
Et sensible aux faveurs que vous en recevez,
Vous rendez à tous deux ce que vous leur devez.

Un si rare service aura sa récompense
Plus grande qu'on n'estime et plus tôt qu'on ne pense.
Cependant quittez-nous, que je puisse à mon tour
Servir de confidente à cet illustre amour.

CLÉOBULE

Ne croyez pas, Madame...

MARCELLE

Obéissez, de grâce :
Je sais ce qu'il faut croire, et vois ce qui se passe.

SCÈNE IV

MARCELLE, THÉODORE, STÉPHANIE

MARCELLE

Ne vous offensez pas, objet rare et charmant,
Si ma haine avec lui traite un peu rudement.
Ce n'est point avec vous que je la dissimule :
Je chéris Théodore, et je hais Cléobule;
Et par un pur effet du bien que je vous veux,
Je ne puis voir ici ce parent dangereux.
Je sais que pour Placide il vous fait tout facile,
Qu'en sa grandeur nouvelle il vous peint un asile,
Et tâche à vous porter jusqu'à la vanité
D'espérer me braver avec impunité.
Je n'ignore non plus que votre âme plus saine,
Connaissant son devoir ou redoutant ma haine,
Rejette ses conseils, en dédaigne le prix,
Et fait de ces grandeurs un généreux mépris.
Mais comme avec le temps il pourrait vous séduire,
Et vous, changeant d'humeur, me forcer à vous nuire,
J'ai voulu vous parler, pour vous mieux avertir
Qu'il serait malaisé de vous en garantir;
Que si ce qu'est Placide enflait votre courage,
Je puis en un moment renverser mon ouvrage,
Abattre sa fortune, et détruire avec lui
Quiconque m'oserait opposer son appui.
Gardez donc d'aspirer au rang où je l'élève :
Qui commence le mieux ne fait rien s'il n'achève;

Ne servez point d'obstacle à ce que j'en prétends;
N'acquérez point ma haine en perdant votre temps.
Croyez que me tromper, c'est vous tromper vous-même;
Et si vous vous aimez, souffrez que je vous aime.

THÉODORE

Je n'ai point vu, Madame, encor jusqu'à ce jour
Avec tant de menace expliquer tant d'amour,
Et peu faite à l'honneur de pareilles visites,
J'aurais lieu de douter de ce que vous me dites;
Mais soit que ce puisse être ou feinte ou vérité,
Je veux bien vous répondre avec sincérité.
Quoique vous me jugiez l'âme basse et timide,
Je croirais sans faillir pouvoir aimer Placide,
Et si sa passion avait pu me toucher,
J'aurais assez de cœur pour ne le point cacher.
Cette haute puissance à ses vertus rendue
L'égale presque aux rois dont je suis descendue;
Et si Rome et le temps m'en ont ôté le rang,
Il m'en demeure encor le courage et le sang.
Dans mon sort ravalé je sais vivre en princesse :
Je fuis l'ambition, mais je hais la faiblesse;
Et comme ses grandeurs ne peuvent m'ébranler,
L'épouvante jamais ne me fera parler.
Je l'estime beaucoup, mais en vain il soupire;
Quand même sur ma tête il ferait choir l'empire,
Vous me verriez répondre à cette illustre ardeur
Avec la même estime et la même froideur.
Sortez d'inquiétude, et m'obligez de croire
Que la gloire où j'aspire est toute une autre gloire,
Et que sans m'éblouir de cet éclat nouveau,
Plutôt que dans son lit j'entrerais au tombeau.

MARCELLE

Je vous crois; mais souvent l'amour brûle sans luire;
Dans un profond secret il aime à se conduire;
Et voyant Cléobule aller tant et venir,
Entretenir Placide, et vous entretenir,
Je sens toujours dans l'âme un reste de scrupule,
Que je blâme moi-même et tiens pour ridicule;
Mais mon cœur soupçonneux ne s'en peut départir.
Vous avez deux moyens de l'en faire sortir :
Épousez ou Didyme, ou Cléante, ou quelque autre;

Ne m'importe pas qui, mon choix suivra le vôtre,
Et je le comblerai de tant de dignités,
Que peut-être il vaudra ce que vous me quittez;
Ou si vous ne pouvez sitôt vous y résoudre,
Jurez-moi par ce Dieu qui porte en main la foudre,
Et dont tout l'univers doit craindre le courroux,
Que Placide jamais ne sera votre époux.
Je lui fais pour Flavie offrir un sacrifice :
Peut-être que vos vœux le rendront plus propice;
Venez les joindre aux miens, et le prendre à témoin.

THÉODORE

Je veux vous satisfaire, et sans aller si loin,
J'atteste ici le Dieu qui lance le tonnerre,
Ce monarque absolu du ciel et de la terre,
Et dont tout l'univers doit craindre le courroux,
Que Placide jamais ne sera mon époux.
En est-ce assez, Madame? êtes-vous satisfaite?

MARCELLE

Ce serment à peu près est ce que je souhaite;
Mais pour vous dire tout, la sainteté des lieux,
Le respect des autels, la présence des Dieux,
Le rendant et plus saint et plus inviolable,
Me le pourraient aussi rendre bien plus croyable.

THÉODORE

Le Dieu que j'ai juré connaît tout, entend tout :
Il remplit l'univers de l'un à l'autre bout;
Sa grandeur est sans borne ainsi que sans exemple;
Il n'est pas moins ici qu'au milieu de son temple,
Et ne m'entend pas mieux dans son temple qu'ici.

MARCELLE

S'il vous entend partout, je vous entends aussi;
On ne m'éblouit point d'une mauvaise ruse;
Suivez-moi dans le temple, et tôt, et sans excuse.

THÉODORE

Votre cœur soupçonneux ne m'y croirait non plus,
Et je vous y ferais des serments superflus.

MARCELLE

Vous désobéissez !

THÉODORE

Je crois vous satisfaire.

MARCELLE

Suivez, suivez mes pas.

THÉODORE

Ce serait vous déplaire;
Vos desseins d'autant plus en seraient reculés :
Ma désobéissance eſt ce que vous voulez.

MARCELLE

Il faut de deux raisons que l'une vous retienne :
Ou vous aimez Placide, ou vous êtes chrétienne.

THÉODORE

Oui, je la suis, Madame, et le tiens à plus d'heur
Qu'une autre ne tiendrait toute votre grandeur.
Je vois qu'on vous l'a dit, ne cherchez plus de ruse;
J'avoue et hautement, et tôt, et sans excuse.
Armez-vous à ma perte, éclatez, vengez-vous,
Par ma mort à Flavie assurez un époux;
Et noyez dans ce sang, dont vous êtes avide,
Et le mal qui la tue, et l'amour de Placide.

MARCELLE

Oui, pour vous en punir, je n'épargnerai rien,
Et l'intérêt des Dieux assurera le mien.

THÉODORE

Le vôtre en même temps assurera ma gloire;
Triomphant de ma vie, il fera ma victoire,
Mais si grande, si haute, et si pleine d'appas,
Qu'à ce prix j'aimerai les plus cruels trépas.

MARCELLE

De cette illusion soyez persuadée :
Périssant à mes yeux, triomphez en idée;
Goûtez d'un autre monde à loisir les appas,
Et devenez heureuse où je ne serai pas :
Je n'en suis point jalouse, et toute ma puissance
Vous veut bien d'un tel heur hâter la jouissance;

Mais gardez de pâlir et de vous étonner
A l'aspect du chemin qui vous y doit mener.

THÉODORE

La mort n'a que douceur pour une âme chrétienne.

MARCELLE

Votre félicité va donc faire la mienne.

THÉODORE

Votre haine est trop lente à me la procurer.

MARCELLE

Vous n'aurez pas longtemps sujet d'en murmurer.
Allez trouver Valens, allez, ma Stéphanie.
Mais demeurez; il vient.

SCÈNE V

VALENS, MARCELLE, THÉODORE,
PAULIN, STÉPHANIE

MARCELLE

Ce n'est point calomnie,
Seigneur, elle est chrétienne, et s'en ose vanter.

VALENS

Théodore, parlez sans vous épouvanter.

THÉODORE

Puisque je suis coupable aux yeux de l'injustice,
Je fais gloire du crime, et j'aspire au supplice;
Et d'un crime si beau le supplice est si doux,
Que qui peut le connaître en doit être jaloux.

VALENS

Je ne recherche plus la damnable origine
De cette aveugle amour où Placide s'obstine;
Cette noire magie, ordinaire aux chrétiens,
L'arrête indignement dans vos honteux liens;

Votre charme après lui se répand sur Flavie :
De l'un il prend le cœur, et de l'autre la vie.
Vous osez donc ainsi jusque dans ma maison,
Jusque sur mes enfants verser votre poison?
Vous osez donc tous deux les prendre pour victimes?

THÉODORE

Seigneur, il ne faut point me supposer de crimes;
C'est à des faussetés sans besoin recourir :
Puisque je suis chrétienne, il suffit pour mourir.
Je suis prête; où faut-il que je porte ma vie?
Où me veut votre haine immoler à Flavie?
Hâtez, hâtez, Seigneur, ces heureux châtiments
Qui feront mes plaisirs et vos contentements.

VALENS

Ah ! je rabattrai bien cette fière constance.

THÉODORE

Craindrai-je des tourments qui font ma récompense?

VALENS

Oui, j'en sais que peut-être aisément vous craindrez;
Vous en recevrez l'ordre, et vous en résoudrez.
Ce courage toujours ne sera pas si ferme.
Paulin, que là dedans pour prison on l'enferme;
Mettez-y bonne garde.

Paulin la conduit avec quelques soldats, et l'ayant enfermée, revient incontinent.

SCÈNE VI

VALENS, MARCELLE, PAULIN, STÉPHANIE

MARCELLE

Eh quoi ! pour la punir,
Quand le crime est constant, qui vous peut retenir?

VALENS

Agréerez-vous le choix que je fais d'un supplice?

MARCELLE

J'agréerai tout, Seigneur, pourvu qu'elle périsse :
Choisissez le plus doux, ce sera m'obliger.

VALENS

Ah ! que vous savez mal comme il se faut venger !

MARCELLE

Je ne suis point cruelle, et n'en veux à sa vie
Que pour rendre Placide à l'amour de Flavie.
Otez-nous cet obstacle à nos contentements;
Mais en faveur du sexe épargnez les tourments :
Qu'elle meure, il suffit.

VALENS

Oui, sans plus de demeure,
Pour l'intérêt des Dieux je consens qu'elle meure :
Indigne de la vie, elle doit en sortir;
Mais pour votre intérêt je n'y puis consentir.
Quoi? Madame, la perdre est-ce gagner Placide?
Croyez-vous que sa mort le change ou l'intimide?
Que ce soit un moyen d'être aimable à ses yeux,
Que de mettre au tombeau ce qu'il aime le mieux?
Ah ! ne vous flattez point d'une espérance vaine :
En cherchant son amour vous redoublez sa haine;
Et dans le désespoir où vous l'allez plonger,
Loin d'en aimer la cause, il voudra s'en venger.
Chaque jour à ses yeux cette ombre ensanglantée,
Sortant des tristes nuits où vous l'aurez jetée,
Vous peindra toutes deux avec des traits d'horreur
Qui feront de sa haine une aveugle fureur;
Et lors je ne dis pas tout ce que j'appréhende.
Son âme est violente, et son amour est grande :
Verser le sang aimé, ce n'est pas l'en guérir,
Et le désespérer, ce n'est pas l'acquérir.

MARCELLE

Ainsi donc vous laissez Théodore impunie?

VALENS

Non, je la veux punir, mais par l'ignominie;
Et pour forcer Placide à vous porter ses vœux,
Rendre cette chrétienne indigne de ses feux.

MARCELLE

Je ne vous entends point.

VALENS

Contentez-vous, Madame,
Que je vois pleinement les désirs de votre âme,
Que de votre intérêt je veux faire le mien.
Allez, et sur ce point ne demandez plus rien.
Si je m'expliquais mieux, quoique son ennemie,
Vous la garantiriez d'une telle infamie,
Et quelque bon succès qu'il en faille espérer,
Votre haute vertu ne pourrait l'endurer.
Agréez ce supplice, et sans que je le nomme,
Sachez qu'assez souvent on le pratique à Rome,
Qu'il est craint des chrétiens, qu'il plaît à l'Empereur,
Qu'aux filles de sa sorte il fait le plus d'horreur,
Et que ce digne objet de votre juste haine
Voudrait de mille morts racheter cette peine.

MARCELLE

Soit que vous me vouliez éblouir ou venger,
Jusqu'à l'événement je n'en veux point juger;
Je vous en laisse faire. Adieu : disposez d'elle;
Mais gardez d'oublier qu'enfin je suis Marcelle,
Et que si vous trompez un si juste courroux,
Je me saurai bientôt venger d'elle et de vous.

SCÈNE VII

VALENS, PAULIN

VALENS

L'impérieuse humeur ! Vois comme elle me brave,
Comme son fier orgueil m'ose traiter d'esclave.

PAULIN

Seigneur, j'en suis confus, mais vous le méritez :
Au lieu d'y résister, vous vous y soumettez.

VALENS

Ne t'imagine pas que dans le fond de l'âme

Je préfère à mon fils les fureurs d'une femme :
L'un m'est plus cher que l'autre, et par ce triste arrêt
Ce n'est que de ce fils que je prends l'intérêt.
Théodore est chrétienne, et ce honteux supplice
Vient moins de ma rigueur que de mon artifice :
Cette haute infamie où je veux la plonger
Est moins pour la punir que pour la voir changer.
Je connais les chrétiens : la mort la plus cruelle
Affermit leur constance et redouble leur zèle;
Et sans s'épouvanter de tous nos châtiments,
Ils trouvent des douceurs au milieu des tourments;
Mais la pudeur peut tout sur l'esprit d'une fille
Dont la vertu répond à l'illustre famille;
Et j'attends aujourd'hui d'un si puissant effort
Ce que n'obtiendraient pas les frayeurs de la mort.
Après ce grand effet, j'oserai tout pour elle,
En dépit de Flavie, en dépit de Marcelle,
Et je n'ai rien à craindre auprès de l'Empereur,
Si ce cœur endurci renonce à son erreur.
Lui-même il me louera d'avoir su l'y réduire,
Lui-même il détruira ceux qui m'en voudraient nuire :
J'aurai lieu de braver Marcelle et ses amis;
Ma vertu me soutient où son crédit m'a mis;
Mais elle me perdrait, quelque rang que je tienne,
Si j'osais à ses yeux sauver cette chrétienne.
Va la voir de ma part, et tâche à l'étonner :
Dis-lui qu'à tout le peuple on va l'abandonner,
Tranche le mot enfin, que je la prostitue;
Et quand tu la verras troublée et combattue,
Donne entrée à Placide, et souffre que son feu
Tâche d'en arracher un favorable aveu.
Les larmes d'un amant et l'horreur de sa honte
Pourront fléchir ce cœur qu'aucun péril ne dompte;
Et lors elle n'a point d'ennemis si puissants
Dont elle ne triomphe avec un peu d'encens;
Et cette ignominie où je l'ai condamnée
Se changera soudain en heureux hyménée.

PAULIN

Votre prudence est rare, et j'en suivrai les lois.
Daigne le juste ciel seconder votre choix,
Et par une influence un peu moins rigoureuse,
Disposer Théodore à vouloir être heureuse !

ACTE III

SCÈNE PREMIÈRE

THÉODORE, PAULIN

THÉODORE

Où m'allez-vous conduire?

PAULIN

Il est en votre choix :
Suivez-moi dans le temple, ou subissez nos lois.

THÉODORE

De ces indignités vos juges sont capables !

PAULIN

Ils égalent la peine aux crimes des coupables.

THÉODORE

Si le mien est trop grand pour le dissimuler,
N'est-il point de tourments qui puissent l'égaler?

PAULIN

Comme dans les tourments vous trouvez des délices,
Ils ont trouvé pour vous ailleurs de vrais supplices,
Et par un châtiment aussi grand que nouveau,
De votre vertu même ils font votre bourreau.

THÉODORE

Ah ! qu'un si détestable et honteux sacrifice
Est pour elle en effet un rigoureux supplice !

PAULIN

Ce mépris de la mort qui partout à nos yeux
Brave si hautement et nos lois et nos Dieux,

Cette indigne fierté ne serait pas punie
A ne vous ôter rien de plus cher que la vie :
Il faut qu'on leur immole, après de tels mépris,
Ce que chez votre sexe on met à plus haut prix,
Ou que cette fierté, de nos lois ennemie,
Cède aux justes horreurs d'une pleine infamie,
Et que votre pudeur rende à nos immortels
L'encens que votre orgueil refuse à leurs autels.

THÉODORE

Valens me fait par vous porter cette menace;
Mais s'il hait les chrétiens, il respecte ma race :
Le sang d'Antiochus n'est pas encor si bas
Qu'on l'abandonne en proie aux fureurs des soldats.

PAULIN

Ne vous figurez point qu'en un tel sacrilège
Le sang d'Antiochus ait quelque privilège.
Les Dieux sont au-dessus des rois dont vous sortez,
Et l'on vous traite ici comme vous les traitez :
Vous les déshonorez, et l'on vous déshonore.

THÉODORE

Vous leur immolez donc l'honneur de Théodore,
A ces Dieux dont enfin la plus sainte action
N'est qu'inceste, adultère et prostitution?
Pour venger les mépris que je fais de leurs temples,
Je me vois condamnée à suivre leurs exemples,
Et dans vos dures lois je ne puis éviter
Ou de leur rendre hommage, ou de les imiter?
Dieu de la pureté, que vos lois sont bien autres !

PAULIN

Au lieu de blasphémer, obéissez aux nôtres,
Et ne redoublez point par vos impiétés
La haine et le courroux de nos Dieux irrités :
Après nos châtiments ils ont encor leur foudre.
On vous donne de grâce une heure à vous résoudre;
Vous savez votre arrêt, vous avez à choisir;
Usez utilement de ce peu de loisir.

THÉODORE

Quelles sont vos rigueurs, si vous le nommez grâce,
Et quel choix voulez-vous qu'une chrétienne fasse,

Réduite à balancer son esprit agité
Entre l'idolâtrie et l'impudicité?
Le choix est inutile où les maux sont extrêmes.
Reprenez votre grâce, et choisissez vous-mêmes :
Quiconque peut choisir consent à l'un des deux,
Et le consentement est seul lâche et honteux.
Dieu, tout juste et tout bon, qui lit dans nos pensées,
N'impute point de crime aux actions forcées.
Soit que vous contraigniez pour vos Dieux impuissants
Mon corps à l'infamie ou ma main à l'encens,
Je saurai conserver d'une âme résolue
A l'époux sans macule une épouse impollue.

SCÈNE II

PLACIDE, THÉODORE, PAULIN

THÉODORE

Mais que vois-je? Ah, Seigneur ! est-ce Marcelle ou vous
Dont sur mon innocence éclate le courroux?
L'arrêt qu'a contre moi prononcé votre père,
Est-ce pour la venger, ou pour vous satisfaire?
Est-ce mon ennemie ou mon illustre amant
Qui du nom de vos Dieux abuse insolemment?
Vos feux de sa fureur se sont-ils faits complices?
Sont-ils d'intelligence à choisir mes supplices?
Étouffent-ils si bien vos respects généreux,
Qu'ils fassent mon bourreau d'un héros amoureux?

PLACIDE

Retirez-vous, Paulin.

PAULIN

On me l'a mise en garde.

PLACIDE

Je sais jusqu'à quel point ce devoir vous regarde;
Prenez soin de la porte, et sans me répliquer :
Ce n'est pas devant vous que je veux m'expliquer.

PAULIN

Seigneur...

PLACIDE

Laissez-nous, dis-je, et craignez ma colère;
Je vous garantirai de celle de mon père.

SCÈNE III

PLACIDE, THÉODORE

THÉODORE

Quoi? vous chassez Paulin, et vous craignez ses yeux,
Vous qui ne craignez pas la colère des cieux?

PLACIDE

Redoublez vos mépris, mais bannissez des craintes
Qui portent à mon cœur les plus rudes atteintes;
Ils sont encor plus doux que les indignités
Qu'imputent vos frayeurs à mes témérités;
Et ce n'est pas contre eux que mon âme s'irrite.
Je sais qu'ils font justice à mon peu de mérite;
Et lorsque vous pouviez jouir de vos dédains,
Si j'osais les nommer quelquefois inhumains,
Je les justifiais dedans ma conscience,
Et je n'attendais rien que de ma patience,
Sans que pour ces grandeurs qui font tant de jaloux,
Je me sois jamais cru moins indigne de vous.
Aussi ne pensez pas que je vous importune
De payer mon amour, ou de voir ma fortune :
Je ne demande pas un bien qui leur soit dû;
Mais je viens pour vous rendre un bien presque perdu,
Encor le même amant qu'une rigueur si dure
A toujours vu brûler et souffrir sans murmure,
Qui plaint du sexe en vous les respects violés,
Votre libérateur enfin, si vous voulez.

THÉODORE

Pardonnez donc, Seigneur, à la première idée
Qu'a jetée dans mon âme une peur mal fondée,
De mille objets d'horreur mon esprit combattu
Aurait tout soupçonné de la même vertu.
Dans un péril si proche et si grand pour ma gloire,

Comme je dois tout craindre, aussi je puis tout croire;
Et mon honneur timide, entre tant d'ennemis,
Sur les ordres du père a mal jugé du fils.
Je vois, grâces au ciel, par un effet contraire,
Que la vertu du fils soutient celle du père,
Qu'elle ranime en lui la raison qui mourait,
Qu'elle rappelle en lui l'honneur qui s'égarait,
Et le rétablissant dans une âme si belle,
Détruit heureusement l'ouvrage de Marcelle.
Donc à votre prière il s'est laissé toucher?

PLACIDE

J'aurais touché plutôt un cœur tout de rocher;
Soit crainte, soit amour qui possède son âme,
Elle est tout asservie aux fureurs d'une femme.
Je le dis à ma honte, et j'en rougis pour lui,
Il est inexorable, et j'en mourrais d'ennui,
Si nous n'avions l'Égypte où fuir l'ignominie
Dont vous veut lâchement combler sa tyrannie.
Consentez-y, Madame, et je suis assez fort
Pour rompre vos prisons et changer votre sort;
Ou si votre pudeur au peuple abandonnée
S'en peut mieux affranchir que par mon hyménée,
S'il est quelque autre voie à vous sauver l'honneur,
J'y consens, et renonce à mon plus doux bonheur;
Mais si contre un arrêt à cet honneur funeste,
Pour en rompre le coup ce moyen seul vous reste,
Si refusant Placide, il vous faut être à tous,
Fuyez cette infamie en suivant un époux;
Suivez-moi dans des lieux où je serai le maître,
Où vous serez sans peur ce que vous voudrez être;
Et peut-être, suivant ce que vous résoudrez,
Je n'y serai bientôt que ce que vous voudrez.
C'est assez m'expliquer; que rien ne vous retienne :
Je vous aime, Madame, et vous aime chrétienne.
Venez me donner lieu d'aimer ma dignité,
Qui fera mon bonheur et votre sûreté.

THÉODORE

N'espérez pas, Seigneur, que mon sort déplorable
Me puisse à votre amour rendre plus favorable,
Et que d'un si grand coup mon esprit abattu
Défère à ses malheurs plus qu'à votre vertu.

Je l'ai toujours connue et toujours estimée;
Je l'ai plainte souvent d'aimer sans être aimée;
Et par tous ces dédains où j'ai su recourir,
J'ai voulu vous déplaire afin de vous guérir.
Louez-en le dessein, en apprenant la cause :
Un obstacle éternel à vos désirs s'oppose.
Chrétienne, et sous les lois d'un plus puissant époux...
Mais, Seigneur, à ce mot ne soyez pas jaloux.
Quelque haute splendeur que vous teniez de Rome,
Il est plus grand que vous; mais ce n'est point un homme:
C'est le Dieu des chrétiens, c'est le maître des rois,
C'est lui qui tient ma foi, c'est lui dont j'ai fait choix;
Et c'est enfin à lui que mes vœux ont donnée
Cette virginité que l'on a condamnée[5].
Que puis-je donc pour vous, n'ayant rien à donner?
Et par où votre amour se peut-il couronner,
Si pour moi votre hymen n'est qu'un lâche adultère,
D'autant plus criminel qu'il serait volontaire,
Dont le ciel punirait les sacrilèges nœuds,
Et que ce Dieu jaloux vengerait sur tous deux?
Non, non, en quelque état que le sort m'ait réduite,
Ne me parlez, Seigneur, ni d'hymen, ni de fuite :
C'est changer d'infamie, et non pas l'éviter;
Loin de m'en garantir, c'est m'y précipiter.
Mais pour braver Marcelle et m'affranchir de honte,
Il est une autre voie et plus sûre et plus prompte,
Que dans l'éternité j'aurais lieu de bénir :
La mort; et c'est de vous que je dois l'obtenir.
Si vous m'aimez encor, comme j'ose le croire,
Vous devez cette grâce à votre propre gloire;
En m'arrachant la mienne on la va déchirer;
C'est votre choix, c'est vous qu'on va déshonorer.
L'amant si fortement s'unit à ce qu'il aime,
Qu'il en fait dans son cœur une part de lui-même :
C'est par là qu'on vous blesse, et c'est par là, Seigneur,
Que peut jusques à vous aller mon déshonneur.
Tranchez donc cette part où l'ignominie
Pourrait souiller l'éclat d'une si belle vie :
Rendez à votre honneur toute sa pureté,
Et mettez par ma mort son lustre en sûreté.
Mille dont votre Rome adore la mémoire
Se sont bien tout entiers immolés à leur gloire;
Comme eux, en vrai Romain de la vôtre jaloux,

Immolez cette part trop indigne de vous;
Sauvez-la par sa perte; ou si quelque tendresse
A ce bras généreux imprime sa faiblesse,
Si du sang d'une fille il craint de se rougir,
Armez, armez le mien, et le laissez agir.
Ma loi me le défend, mais mon Dieu me l'inspire;
Il parle, et j'obéis à son secret empire;
Et contre l'ordre exprès de son commandement,
Je sens que c'est de lui que vient ce mouvement.
Pour le suivre, Seigneur, souffrez que votre épée[6]
Me puisse...

PLACIDE

Oui, vous l'aurez, mais dans mon sang trempée;
Et votre bras du moins en recevra du mien
Le glorieux exemple avant que le moyen.

THÉODORE

Ah! ce n'est pas pour vous un mouvement à suivre;
C'est à moi de mourir, mais c'est à vous de vivre.

PLACIDE

Ah! faites-moi donc vivre, ou me laissez mourir;
Cessez de me tuer ou de me secourir.
Puisque vous n'écoutez ni mes vœux ni mes larmes,
Puisque la mort pour vous a plus que moi de charmes,
Souffrez que ce trépas, que vous trouvez si doux,
Ait à son tour pour moi plus de douceur que vous.
Puis-je vivre et vous voir morte ou déshonorée,
Vous que de tout mon cœur j'ai toujours adorée,
Vous qui de mon destin réglez le triste cours,
Vous, dis-je, à qui j'attache et ma gloire et mes jours?
Non, non, s'il vous faut voir déshonorée ou morte,
Souffrez un désespoir où la raison me porte :
Renoncer à la vie avant de tels malheurs,
Ce n'est que prévenir l'effet de mes douleurs.
En ces extrémités je vous conjure encore,
Non par ce zèle ardent d'un cœur qui vous adore,
Non par ce vain éclat de tant de dignités,
Trop au-dessous du sang des Rois dont vous sortez,
Non par ce désespoir où vous poussez ma vie;
Mais par la sainte horreur que vous fait l'infamie,
Par ce Dieu que j'ignore, et pour qui vous vivez,

Et par ce même bien que vous lui conservez,
Daignez en éviter la perte irréparable,
Et sous les saints liens d'un nœud si vénérable
Mettez en sûreté ce qu'on va vous ravir.

THÉODORE

Vous n'êtes pas celui dont Dieu s'y veut servir;
Il saura bien sans vous en susciter un autre,
Dont le bras moins puissant, mais plus saint que le vôtre,
Par un zèle plus pur se fera mon appui,
Sans porter ses désirs sur un bien tout à lui.
Mais parlez à Marcelle.

SCÈNE IV

MARCELLE, PLACIDE, THÉODORE,
PAULIN, STÉPHANIE

PLACIDE

Ah, Dieux, quelle infortune !
Faut-il qu'à tous moments...

MARCELLE

Je vous suis importune
De mêler ma présence aux secrets des amants,
Qui n'ont jamais besoin de pareils truchements.

PAULIN

Madame, on m'a forcé de puissance absolue.

MARCELLE, *à Paulin.*

L'ayant soufferte ainsi, vous l'avez bien voulue :
Ne me répliquez plus, et me la renfermez.

SCÈNE V

MARCELLE, PLACIDE, STÉPHANIE

MARCELLE

Ainsi donc vos désirs en sont toujours charmés,
Et quand un juste arrêt la couvre d'infamie,

Comme de tout l'empire et des Dieux ennemie,
Au milieu de sa honte elle plaît à vos yeux,
Et vous fait l'ennemi de l'empire et des Dieux?
Tant les illustres noms d'infâme et de rebelle
Vous semblent précieux à les porter pour elle!
Vous trouvez, je m'assure, en un si digne lieu
Cet objet de vos vœux encor digne d'un Dieu?
J'ai conservé son sang de peur de vous déplaire,
Et pour ne forcer pas votre juste colère
A ce serment conçu par tous les immortels
De venger son trépas jusque sur les autels.
Vous vous étiez par là fait une loi si dure,
Que sans moi vous seriez sacrilège ou parjure :
Je vous en fais grâce en lui laissant le jour,
Et j'épargne du moins un crime à votre amour.

PLACIDE

Triomphez-en dans l'âme, et tâchez de paraître
Moins insensible aux maux que vous avez fait naître.
En l'état où je suis, c'est une lâcheté
D'insulter aux malheurs où vous m'avez jeté,
Et l'amertume enfin de cette raillerie
Tournerait aisément ma douleur en furie.
Si quelque espoir arrête et suspend mon courroux,
Il ne peut être grand, puisqu'il n'est plus qu'en vous,
En vous, que j'ai traitée avec tant d'insolence,
En vous, de qui la haine a tant de violence.
Contre ces malheurs même où vous m'avez jeté,
J'espère encore en vous trouver quelque bonté;
Je fais plus, je l'implore, et cette âme si fière
Du haut de son orgueil descend à la prière,
Après tant de mépris s'abaisse pleinement,
Et de votre triomphe achève l'ornement.
Voyez ce qu'aucun Dieu n'eût osé vous promettre,
Ce que jamais mon cœur n'aurait cru se permettre :
Placide suppliant, Placide à vos genoux
Vous doit être, Madame, un spectacle assez doux[7];
Et c'est par la douceur de ce même spectacle
Que mon cœur vous demande un aussi grand miracle.
Arrachez Théodore aux hontes d'un arrêt
Qui mêle avec le sien mon plus cher intérêt.
Toute ingrate, inhumaine, inflexible, chrétienne,
Madame, elle est mon choix, et sa gloire est la mienne;

S'il faut qu'elle subisse une si rude loi,
Toute l'ignominie en rejaillit sur moi;
Et je n'ai pas moins qu'elle à rougir d'un supplice
Qui profane l'autel où j'ai fait sacrifice,
Et de l'illustre objet de mes plus saints désirs
Fait l'infâme rebut des plus sales plaisirs.
S'il vous demeure encor quelque espoir pour Flavie,
Conservez-moi l'honneur pour conserver sa vie;
Et songez que l'affront où vous m'abandonnez
Déshonore l'époux que vous lui destinez.
Je vous le dis encor, sauvez-moi cette honte :
Ne désespérez pas une âme qui se dompte,
Et par le noble effort d'un généreux emploi,
Triomphez de vous-même aussi bien que de moi.
Théodore est pour vous une utile ennemie;
Et si, proche qu'elle est de choir dans l'infamie,
Ma plus sincère ardeur n'en peut rien obtenir,
Vous n'avez pas beaucoup à craindre l'avenir.
Le temps ne la rendra que plus inexorable;
Le temps détrompera peut-être un misérable.
Daignez lui donner lieu de me pouvoir guérir,
Et ne me perdez pas en voulant m'acquérir.

MARCELLE

Quoi? vous voulez enfin me devoir votre gloire!
Certes un tel miracle est difficile à croire,
Que vous, qui n'aspiriez qu'à ne me devoir rien,
Vous me vouliez devoir un si précieux bien.
Mais comme en ses désirs aisément on se flatte,
Dussé-je contre moi servir une âme ingrate,
Perdre encor mes faveurs, et m'en voir abuser,
Je vous aime encor trop pour vous rien refuser.
Oui, puisque Théodore enfin me rend capable
De vous rendre une fois un office agréable,
Puisque son intérêt vous force à me traiter
Mieux que tous mes bienfaits n'avaient su mériter,
Et par soin de vous plaire et par reconnaissance
Je vais pour l'un et l'autre employer ma puissance,
Et pour un peu d'espoir qui m'est en vain rendu,
Rendre à mes ennemis l'honneur presque perdu.
Je vais d'un juste juge adoucir la colère,
Rompre le triste effet d'un arrêt trop sévère,
Répondre à votre attente, et vous faire éprouver

Cette bonté qu'en moi vous espérez trouver.
Jugez par cette épreuve, à mes vœux si cruelle,
Quel pouvoir vous avez sur l'esprit de Marcelle,
Et ce que vous pourriez un peu plus complaisant,
Quand vous y pouvez tout même en la méprisant.
Mais pourrai-je à mon tour vous faire une prière?

PLACIDE

Madame, au nom des Dieux, faites-moi grâce entière :
En l'état où je suis, quoi qu'il puisse advenir,
Je vous dois tout promettre, et ne puis rien tenir;
Je ne vous puis donner qu'une attente frivole;
Ne me réduisez point à manquer de parole;
Je crains, mais j'aime encore, et mon cœur amoureux...

MARCELLE

Le mien est raisonnable autant que généreux.
Je ne demande pas que vous cessiez encore
Ou de haïr Flavie, ou d'aimer Théodore :
Ce grand coup doit tomber plus insensiblement,
Et je me défierais d'un si prompt changement.
Il faut languir encor dedans l'incertitude,
Laisser faire le temps et cette ingratitude :
Je ne veux à présent qu'une fausse pitié,
Qu'une feinte douceur, qu'une ombre d'amitié.
Un moment de visite à la triste Flavie
Des portes du trépas rappellerait sa vie.
Cependant que pour vous je vais tout obtenir,
Pour soulager ses maux allez l'entretenir;
Ne lui promettez rien, mais souffrez qu'elle espère,
Et trompez-la du moins pour la rendre à sa mère :
Un coup d'œil y suffit, un mot ou deux plus doux.
Faites un peu pour moi quand je fais tout pour vous;
Daignez pour Théodore un moment vous contraindre.

PLACIDE

Un moment est bien long à qui ne sait pas feindre;
Mais vous m'en conjurez par un nom trop puissant
Pour ne rencontrer pas un cœur obéissant.
J'y vais; mais par pitié souvenez-vous vous-même
Des troubles d'un amant qui craint pour ce qu'il aime,
Et qui n'a pas pour feindre assez de liberté,
Tant que pour son objet il est inquiété.

MARCELLE

Allez sans plus rien craindre, ayant pour vous Marcelle.

SCÈNE VI

MARCELLE, STÉPHANIE

STÉPHANIE

Enfin vous triomphez de cet esprit rebelle?

MARCELLE

Quel triomphe !

STÉPHANIE

Est-ce peu que de voir à vos pieds
Sa haine et son orgueil enfin humiliés?

MARCELLE

Quel triomphe, te dis-je, et qu'il a d'amertumes !
Et que nous sommes loin de ce que tu présumes !
Tu le vois à mes pieds pleurer, gémir, prier;
Mais ne crois pas pourtant le voir s'humilier :
Ne crois pas qu'il se rende aux bontés qu'il implore;
Mais vois de quelle ardeur il aime Théodore,
Et juge quel pouvoir cet amour a sur lui,
Puisqu'il peut le réduire à chercher mon appui.
Que n'oseront ses feux entreprendre pour elle,
S'ils ont pu l'abaisser jusqu'aux pieds de Marcelle;
Et que dois-je espérer d'un cœur si fort épris,
Qui même en m'adorant me fait voir ses mépris?
Dans ses submissions vois ce qui l'y convie :
Mesure à son amour sa haine pour Flavie,
En voyant l'un et l'autre en son abaissement,
Juge de mon triomphe un peu plus sainement;
Vois dans son triste effet sa ridicule pompe.
J'ai peine en triomphant d'obtenir qu'il me trompe,
Qu'il feigne par pitié, qu'il donne un faux espoir.

STÉPHANIE

Et vous l'allez servir de tout votre pouvoir?

MARCELLE

Oui, je vais le servir, mais comme il le mérite.
Toi, va par quelque adresse amuser sa visite,
Et sous un faux appât prolonger l'entretien.

STÉPHANIE

Donc...

MARCELLE

Le temps presse : va, sans t'informer de rien.

ACTE IV

SCÈNE PREMIÈRE

PLACIDE, STÉPHANIE, *sortant de chez Marcelle.*

STÉPHANIE

SEIGNEUR...

PLACIDE

Va, Stéphanie, en vain tu me rappelles,
Ces feintes ont pour moi des gênes trop cruelles :
Marcelle en ma faveur agit trop lentement,
Et laisse trop durer cet ennuyeux moment.
Pour souffrir plus longtemps un supplice si rude,
J'ai trop d'impatience et trop d'inquiétude :
Il faut voir Théodore, il faut savoir mon sort,
Il faut...

STÉPHANIE

Ah ! faites-vous, Seigneur, un peu d'effort.
Marcelle, qui vous sert de toute sa puissance,
Mérite bien du moins cette reconnaissance.
Retournez chez Flavie attendre un bien si doux,
Et ne craignez plus rien puisqu'elle agit pour vous.

PLACIDE

L'effet tarde beaucoup pour n'avoir rien à craindre :
Elle feignait peut-être en me priant de feindre.
On retire souvent le bras pour mieux frapper.
Qui veut que je la trompe a droit de me tromper.

STÉPHANIE

Considérez l'humeur implacable d'un père,
Quelle est pour les chrétiens sa haine et sa colère,
Combien il faut de temps afin de l'émouvoir.

PLACIDE

Hélas ! il n'en faut guère à trahir mon espoir.
Peut-être en ce moment qu'ici tu me cajoles,
Que tu remplis mon cœur d'espérances frivoles,
Ce rare et cher objet qui fait seul mon destin,
Du soldat insolent est l'indigne butin.
Va flatter, si tu veux, la douleur de Flavie,
Et me laisse éclaircir de l'état de ma vie :
C'est trop l'abandonner à l'injuste pouvoir.
  Ouvrez, Paulin, ouvrez, et me la faites voir.
On ne me répond point, et la porte est ouverte !
Paulin ! Madame !

STÉPHANIE

O Dieux ! la fourbe est découverte.
Où fuirai-je?

PLACIDE

Demeure, infâme, et ne crains rien :
Je ne veux pas d'un sang abject comme le tien.
Il faut à mon courroux de plus nobles victimes :
Instruis-moi seulement de l'ordre de tes crimes.
Qu'a-t-on fait de mon âme? où la dois-je chercher?

STÉPHANIE

Vous n'avez pas sujet encor de vous fâcher :
Elle est...

PLACIDE

Dépêche, dis ce qu'en a fait Marcelle.

STÉPHANIE

Tout ce que votre amour pouvait attendre d'elle.
Peut-on croire autre chose avec quelque raison,
Quand vous voyez déjà qu'elle est hors de prison?

PLACIDE

Ah ! j'en aurais déjà reçu les assurances;
Et tu veux m'amuser de vaines apparences,
Cependant que Marcelle agit comme il lui plaît,
Et fait sans résistance exécuter l'arrêt.
De ma crédulité Théodore est punie :
Elle est hors de prison, mais dans l'ignominie;

Et je devais juger, dans mon sort rigoureux,
Que l'ennemi qui flatte est le plus dangereux.
Mais souvent on s'aveugle, et dans des maux extrêmes,
Les esprits généreux jugent tout par eux-mêmes;
Et lorsqu'on les trahit...

SCÈNE II

PLACIDE, LYCANTE, STÉPHANIE

LYCANTE

Jugez-en mieux, Seigneur :
Marcelle vous renvoie et la joie et l'honneur;
Elle a de l'infamie arraché Théodore.

PLACIDE

Elle a fait ce miracle !

LYCANTE

Elle a fait plus encore.

PLACIDE

Ne me fais plus languir, dis promptement.

LYCANTE

D'abord
Valens changeait l'arrêt en un arrêt de mort...

PLACIDE

Ah ! si de cet arrêt jusqu'à l'effet on passe...

LYCANTE

Marcelle a refusé cette sanglante grâce :
Elle la veut entière, et tâche à l'obtenir;
Mais Valens irrité s'obstine à la bannir,
Et voulant que cet ordre à l'instant s'exécute,
Quoi qu'en votre faveur Marcelle lui dispute,
Il mande Théodore, et la veut promptement
Faire conduire au lieu de son bannissement.

STÉPHANIE

Et vous vous alarmiez de voir sa prison vide?

PLACIDE

Tout fait peur à l'amour, c'est un enfant timide;
Et si tu le connais, tu me dois pardonner.

LYCANTE

Elle fait ses efforts pour vous la ramener,
Et vous conjure encore un moment de l'attendre.

PLACIDE

Quelles grâces, bons Dieux, ne lui dois-je point rendre !
Va, dis-lui que j'attends ici ce grand succès,
Où sa bonté pour moi paraît avec excès.

Lycante rentre.

STÉPHANIE

Et moi je vais pour vous consoler sa Flavie.

PLACIDE

Fais-lui donc quelque excuse à flatter son envie,
Et dis-lui de ma part tout ce que tu voudras.
Mon âme n'eut jamais les sentiments ingrats,
Et j'ai honte en secret d'être dans l'impuissance
De montrer plus d'effets de ma reconnaissance.

(Il est seul.)

Certes, une ennemie à qui je dois l'honneur
Méritait dans son choix un peu plus de bonheur,
Devait trouver une âme un peu moins défendue,
Et j'ai pitié de voir tant de bonté perdue;
Mais le cœur d'un amant ne peut se partager;
Elle a beau se contraindre, elle a beau m'obliger,
Je n'ai qu'aversion pour ce qui la regarde.

SCÈNE III

PLACIDE, PAULIN

PLACIDE

Vous ne me direz plus qu'on vous l'a mise en garde,
Paulin?

PAULIN

Elle n'eſt plus, Seigneur, en mon pouvoir.

PLACIDE

Quoi? vous en soupirez?

PAULIN

Je pense le devoir.

PLACIDE

Soupirez du bonheur que le ciel me renvoie!

PAULIN

Je ne vois pas pour vous de grands sujets de joie.

PLACIDE

Qu'on la bannisse ou non, je la verrai toujours.

PAULIN

Quel fruit de cette vue espèrent vos amours?

PLACIDE

Le temps adoucira cette âme rigoureuse.

PAULIN

Le temps ne rendra pas la vôtre plus heureuse.

PLACIDE

Sans doute elle aura peine à me laisser périr.

PAULIN

Qui le peut espérer devait la secourir.

PLACIDE

Marcelle a fait pour moi tout ce que j'ai dû faire.

PAULIN

Je n'ai donc rien à dire et dois ici me taire.

PLACIDE

Non, non, il faut parler avec sincérité,
Et louer hautement sa générosité.

PAULIN

Si vous me l'ordonnez, je louerai donc sa rage,
Mais depuis quand, Seigneur, changez-vous de courage?
Depuis quand pour vertu prenez-vous la fureur?
Depuis quand louez-vous ce qui doit faire horreur?

PLACIDE

Ah! je tremble à ces mots que j'ai peine à comprendre.

PAULIN

Je ne sais pas, Seigneur, ce qu'on vous fait entendre,
Ou quel puissant motif retient votre courroux;
Mais Théodore enfin n'eſt plus digne de vous.

PLACIDE

Quoi? Marcelle en effet ne l'a pas garantie?

PAULIN

A peine d'avec vous, Seigneur, elle eſt sortie,
Que l'âme tout en feu, les yeux étincelants,
Rapportant elle-même un ordre de Valens,
Avec trente soldats elle a saisi la porte,
Et tirant de ce lieu Théodore à main-forte...

PLACIDE

O Dieux! jusqu'à ses pieds j'ai donc pu m'abaisser,
Pour voir trahir des vœux qu'elle a feint d'exaucer,
Et pour en recevoir avec tant d'insolence
De tant de lâcheté la digne récompense!
Mon cœur avait déjà pressenti ce malheur :
Mais achève, Paulin, d'irriter ma douleur,
Et, sans m'entretenir des crimes de Marcelle,
Dis-moi qui je me dois immoler après elle,
Et sur quels insolents, après son châtiment,
Doit choir le reſte affreux de mon ressentiment.

PAULIN

Armez-vous donc, Seigneur, d'un peu de patience,
Et forcez vos transports à me prêter silence,
Tandis que le récit d'une injuſte rigueur,
Peut-être à chaque mot vous percera le cœur.
Je ne vous dirai point avec quelle triſtesse

A ce honteux supplice a marché la Princesse :
Forcé de la conduire en ces infâmes lieux,
De honte et de dépit j'en détournais les yeux;
Et pour la consoler, ne sachant que lui dire,
Je maudissais tout bas les lois de notre empire;
Et vous étiez le dieu que dans mes déplaisirs
En secret pour les rompre invoquaient mes soupirs.

PLACIDE

Ah! pour gagner ce temps on charmait mon courage
D'une fausse promesse, et puis d'un faux message;
Et j'ai cru dans ces cœurs de la sincérité!
Ne fais plus de reproche à ma crédulité,
Et poursuis.

PAULIN

Dans ces lieux à peine on l'a traînée,
Qu'on a vu des soldats la troupe mutinée :
Tous courent à la proie avec avidité,
Tous montrent à l'envi même brutalité.
Je croyais déjà voir de cette ardeur égale
Naître quelque discorde à ces tigres fatale,
Quand Didyme...

PLACIDE

Ah, le lâche! ah, le traître!

PAULIN

Écoutez.

Ce traître a réuni toutes leurs volontés;
Le front plein d'impudence et l'œil armé d'audace :
« Compagnons, a-t-il dit, on me doit une grâce;
Depuis plus de dix ans je souffre les mépris
Du plus ingrat objet dont on puisse être épris :
Ce n'est pas de mes feux que je veux récompense,
Mais de tant de rigueurs la première vengeance;
Après, vous punirez à loisir ses dédains. »
Il leur jette de l'or ensuite à pleines mains;
Et lors, soit par respect qu'on eut pour sa naissance,
Soit qu'ils eussent marché sous son obéissance,
Soit que son or pour lui fît un si prompt effort,
Ces cœurs en sa faveur tombent soudain d'accord :
Il entre sans obstacle.

PLACIDE

Il y mourra, l'infâme !
Viens me voir dans ses bras lui faire vomir l'âme,
Viens voir de ma colère un juste et prompt effet
Joindre en ces mêmes lieux la peine à son forfait,
Confondre son triomphe avecque son supplice.

PAULIN

Ce n'est pas en ces lieux qu'il vous fera justice :
Didyme en est sorti.

PLACIDE

Quoi, Paulin? ce voleur
A déjà par sa fuite évité ma douleur !

PAULIN

Oui; mais il n'était plus, en sortant, ce Didyme
Dont l'orgueil insolent demandait sa victime;
Ses cheveux sur son front s'efforçaient de cacher
La rougeur que son crime y semblait attacher,
Et le remords de sorte abattait son courage,
Que même il n'osait plus nous montrer son visage :
L'œil bas, le pied timide et le corps chancelant,
Tel qu'un coupable enfin qui s'échappe en tremblant.
A peine il est sorti que la fière insolence
Du soldat mutiné reprend sa violence;
Chacun, en sa valeur mettant tout son appui,
S'efforce de montrer qu'il n'a cédé qu'à lui;
On se pousse, on se presse, on se bat, on se tue :
J'en vois une partie à mes pieds abattue.
Au spectacle sanglant que je m'étais promis,
Cléobule survient avec quelques amis,
Met l'épée à la main, tourne en fuite le reste,
Entre...

PLACIDE

Lui seul?

PAULIN

Lui seul.

PLACIDE

Ah, Dieux ! quel coup funeste !

PAULIN

Sans doute il n'eſt entré que pour l'en retirer.

PLACIDE

Dis, dis qu'il eſt entré pour la déshonorer,
Et que le sort cruel, pour hâter ma ruine,
Veut qu'après un rival un ami m'assassine.
Le traître! Mais, dis-moi, l'en as-tu vu sortir?
Montrait-il de l'audace ou quelque repentir?
Qui des siens l'a suivi?

PAULIN

Cette troupe fidèle
M'a chassé comme chef des soldats de Marcelle :
Je n'ai rien vu de plus; mais loin de le blâmer,
Je présume...

PLACIDE

Ah! je sais ce qu'il faut présumer.
Il eſt entré lui seul.

PAULIN

Ayant si peu d'escorte,
C'eſt ainsi qu'il a dû s'assurer de la porte;
Et si là tous ensemble il ne les eût laissés,
Assez facilement on les aurait forcés.
Mais le voici qui vient pour vous en rendre compte :
A son zèle, de grâce, épargnez cette honte.

SCÈNE IV

PLACIDE, PAULIN, CLÉOBULE

PLACIDE

Eh bien! votre parente? elle eſt hors de ces lieux
Où l'on sacrifiait sa pudeur à nos Dieux?

CLÉOBULE

Oui, Seigneur.

PLACIDE

J'ai regret qu'un cœur si magnanime
Se soit ainsi laissé prévenir par Didyme.

CLÉOBULE

J'en dois être honteux; mais je m'étonne fort
Qui vous a pu sitôt en faire le rapport :
J'en croyais apporter les premières nouvelles.

PLACIDE

Grâces aux Dieux, sans vous j'ai des amis fidèles.
Mais ne différez plus à me la faire voir.

CLÉOBULE

Qui, Seigneur?

PLACIDE

Théodore.

CLÉOBULE

Est-elle en mon pouvoir?

PLACIDE

Ne me dites-vous pas que vous l'avez sauvée?

CLÉOBULE

Je vous le dirais ! moi qui ne l'ai plus trouvée !

PLACIDE

Quoi? soudain par un charme elle avait disparu?

CLÉOBULE

Puisque déjà ce bruit jusqu'à vous a couru,
Vous savez que sans charme elle a fui sa disgrâce,
Que je n'ai plus trouvé que Didyme en sa place :
Quel plaisir prenez-vous à me le déguiser?

PLACIDE

Quel plaisir prenez-vous vous-même à m'abuser,
Quand Paulin de ses yeux a vu sortir Didyme?

CLÉOBULE

Si ses yeux l'ont trompé, l'erreur est légitime;
Et si vous n'en savez que ce qu'il vous a dit,

Écoutez-en, Seigneur, un fidèle récit.
Vous ignorez encor la meilleure partie :
Sous l'habit de Didyme elle-même est sortie.

PLACIDE

Qui?

CLÉOBULE

Votre Théodore; et cet audacieux
Sous le sien, au lieu d'elle, est resté dans ces lieux.

PLACIDE

Que dis-tu, Cléobule? ils ont fait cet échange?

CLÉOBULE

C'est une nouveauté qui doit sembler étrange...

PLACIDE

Et qui me porte encor de plus étranges coups.
Vois si c'est sans raison que j'en étais jaloux;
Et malgré les avis de ta fausse prudence,
Juge de leur amour par leur intelligence.

CLÉOBULE

J'ose en douter encore, et je ne vois pas bien
Si c'est zèle d'amant ou fureur de chrétien.

PLACIDE

Non, non, ce téméraire au péril de sa tête,
A mis en sûreté son illustre conquête :
Par tant de feints mépris elle qui t'abusait
Lui conservait ce cœur qu'elle me refusait,
Et ses dédains cachaient une faveur secrète,
Dont tu n'étais pour moi qu'un aveugle interprète.
L'œil d'un amant jaloux a bien d'autres clartés;
Les cœurs pour ses soupçons n'ont point d'obscurités :
Son malheur lui fait jour jusques au fond d'une âme,
Pour y lire sa perte écrite en traits de flamme.
Elle me disait bien, l'ingrate, que son Dieu
Saurait, sans mon secours, la tirer de ce lieu;
Et sûre qu'elle était de celui de Didyme,
A se servir du mien elle eût cru faire un crime.
Mais aurait-on bien pris pour générosité
L'impétueuse ardeur de sa témérité?

Après un tel affront et de telles offenses,
M'aurait-on envié la douceur des vengeances?

CLÉOBULE

Vous le verriez déjà, si j'avais pu souffrir
Qu'en cet habit de fille on vous le vînt offrir.
J'ai cru que sa valeur et l'éclat de sa race
Pouvaient bien mériter cette petite grâce,
Et vous pardonnerez à ma vieille amitié
Si jusque-là, Seigneur, elle étend sa pitié.
Le voici qu'Amyntas vous amène à main-forte.

PLACIDE

Pourrai-je retenir la fureur qui m'emporte?

CLÉOBULE

Seigneur, réglez si bien ce violent courroux,
Qu'il n'en échappe rien trop indigne de vous.

SCÈNE V

PLACIDE, DIDYME, CLÉOBULE,
PAULIN, AMYNTAS, TROUPE

PLACIDE

Approche, heureux rival, heureux choix d'une ingrate,
Dont je vois qu'à ma honte enfin l'amour éclate.
C'est donc pour t'enrichir d'un si noble butin
Qu'elle s'est obstinée à suivre son destin?
Et pour mettre ton âme au comble de sa joie,
Cet esprit déguisé n'a point eu d'autre voie?
Dans ces lieux dignes d'elle elle a reçu ta foi,
Et pris l'occasion de se donner à toi?

DIDYME

Ah! Seigneur, traitez mieux une vertu parfaite.

PLACIDE

Ah! je sais mieux que toi comme il faut qu'on la traite.
J'en connais l'artifice, et de tous ses mépris.
Sur quelle confiance as-tu tant entrepris?

Ma perfide marâtre et mon tyran de père
Auraient-ils contre moi choisi ton ministère?
Et pour mieux t'enhardir à me voler mon bien,
T'auraient-ils promis grâce, appui, faveur, soutien?
Aurais-tu uni leurs fureurs à ton zèle,
Son amant tout ensemble et l'agent de Marcelle?
Qu'en as-tu fait enfin? où me la caches-tu?

DIDYME

Derechef jugez mieux de la même vertu.
Je n'ai rien entrepris, ni comme amant fidèle,
Ni comme impie agent des fureurs de Marcelle,
Ni sous l'espoir flatteur de quelque impunité,
Mais par un pur effet de générosité :
Je le nommerais mieux, si vous pouviez comprendre
Par quel zèle un chrétien ose tout entreprendre.
La mort, qu'avec ce nom je ne puis éviter,
Ne vous laisse aucun lieu de vous inquiéter :
Qui s'apprête à mourir, qui court à ses supplices,
N'abaisse pas son âme à ces molles délices;
Et près de rendre compte à son juge éternel,
Il craint d'y porter même un désir criminel.
J'ai soustrait Théodore à la rage insensée,
Sans blesser sa pudeur de la moindre pensée :
Elle fuit, et sans tache, où l'inspire son Dieu.
Ne m'en demandez point ni l'ordre ni le lieu :
Comme je n'en prétends ni faveur ni salaire,
J'ai voulu l'ignorer, afin de le mieux taire.

PLACIDE

Ah ! tu me fais ici des contes superflus :
J'ai trop été crédule, et je ne le suis plus.
Quoi? sans rien obtenir, sans même rien prétendre,
Un zèle de chrétien t'a fait tout entreprendre?
Quel prodige pareil s'est jamais rencontré?

DIDYME

Paulin vous aura dit comme je suis entré;
Prêtez l'oreille au reste, et punissez ensuite
Tout ce que vous verrez de coupable en sa fuite.

PLACIDE

Dis, mais en peu de mots, et sûr que les tourments
M'auront bientôt vengé de tes déguisements.

DIDYME

La Princesse, à ma vue également atteinte
D'étonnement, d'horreur, de colère et de crainte,
A tant de passions exposée à la fois,
A perdu quelque temps l'usage de la voix :
Aussi j'avais l'audace encor sur le visage
Qui parmi ces mutins m'avait donné passage,
Et je portais encor sur le front imprimé
Cet insolent orgueil dont je l'avais armé.
Enfin reprenant cœur : « Arrête, me dit-elle,
Arrête » ; et m'allait faire une longue querelle[8] ;
Mais pour laisser agir l'erreur qui la surprend,
Le temps était trop cher, et le péril trop grand;
Donc, pour la détromper : « Non, lui dis-je, Madame,
Quelque outrageux mépris dont vous traitiez ma flamme,
Je ne viens point ici comme amant indigné
Me venger de l'objet dont je fus dédaigné;
Une plus sainte ardeur règne au cœur de Didyme :
Il vient de votre honneur se faire la victime,
Le payer de son sang et s'exposer pour vous
A tout ce qu'oseront la haine et le courroux.
Fuyez sous mon habit, et me laissez, de grâce,
Sous le vôtre en ces lieux occuper votre place;
C'est par ce moyen seul qu'on peut vous garantir :
Conservez une vierge en faisant un martyr. »
  Elle, à cette prière encor demi-tremblante,
Et mêlant à sa joie un reste d'épouvante,
Me demande pardon, d'un visage étonné,
De tout ce que son âme a craint ou soupçonné.
Je m'apprête à l'échange, elle à la mort s'apprête;
Je lui tends mes habits, elle m'offre sa tête,
Et demande à sauver un si précieux bien
Aux dépens de son sang, plutôt qu'au prix du mien;
Mais Dieu la persuade, et notre combat cesse.
Je vois, suivant mes vœux, échapper la Princesse.

PAULIN

C'était donc à dessein qu'elle cachait ses yeux,
Comme rouge de honte, en sortant de ces lieux?

DIDYME

En lui disant adieu, je l'en avais instruite,
Et le ciel a daigné favoriser sa fuite.

Seigneur, ce peu de mots suffit pour vous guérir :
Vivez sans jalousie, et m'envoyez mourir.

PLACIDE

Hélas ! et le moyen d'être sans jalousie,
Lorsque ce cher objet te doit plus que la vie?
Ta courageuse adresse à ses divins appas
Vient de rendre un secours que leur devait mon bras;
Et lorsque je me laisse amuser de paroles,
Tu t'exposes pour elle, ou plutôt tu t'immoles :
Tu donnes tout ton sang pour lui sauver l'honneur;
Et je ne serais pas jaloux de ton bonheur?
Mais ferai-je périr celui qui l'a sauvée?
Celui par qui Marcelle eſt pleinement bravée,
Qui m'a rendu ma gloire, et préservé mon front
Des infâmes couleurs d'un si mortel affront?
Tu vivras. Toutefois défendrai-je ta tête,
Alors que Théodore eſt ta juſte conquête,
Et que cette beauté qui me tient sous sa loi
Ne saurait plus sans crime être à d'autre qu'à toi?
N'importe; si ta flamme en eſt mieux écoutée,
Je dirai seulement que tu l'as méritée;
Et sans plus regarder ce que j'aurai perdu,
J'aurai devant les yeux ce que tu m'as rendu.
De mille déplaisirs qui m'arrachaient la vie
Je n'ai plus que celui de te porter envie;
Je saurai bien le vaincre et garder pour tes feux
Dans une âme jalouse un esprit généreux.
Va donc, heureux rival, rejoindre ta Princesse,
Dérobe-toi comme elle aux yeux d'une tigresse :
Tu m'as sauvé l'honneur, j'assurerai tes jours,
Et mourrai, s'il le faut, moi-même à ton secours.

DIDYME

Seigneur...

PLACIDE

Ne me dis rien. Après de tels services,
Je n'ai rien à prétendre, à moins que tu périsses.
Je le sais, je l'ai dit; mais dans ce triſte état
Je te suis redevable, et ne puis être ingrat.

ACTE V

SCÈNE PREMIÈRE

PAULIN, CLÉOBULE

PAULIN

OUI, Valens pour Placide a beaucoup d'indulgence[9];
Il est même en secret de son intelligence :
C'était par cet arrêt lui qu'il considérait,
Et je vous ai conté ce qu'il en espérait.
Mais il hait des chrétiens l'opiniâtre zèle;
Et s'il aime Placide, il redoute Marcelle;
Il en sait le pouvoir, il en voit la fureur,
Et ne veut pas se perdre auprès de l'Empereur :
Il ne veut pas périr pour conserver Didyme;
Puisqu'il s'est laissé prendre, il paiera pour son crime.
Valens saura punir son illustre attentat
Par inclination et par raison d'État;
Et si quelque malheur ramène Théodore,
A moins qu'elle renonce à ce Dieu qu'elle adore,
Dût Placide lui-même après elle en mourir,
Par les mêmes motifs il la fera périr.
Dans l'âme il est ravi d'ignorer sa retraite,
Il fait des vœux au ciel pour la tenir secrète;
Il craint qu'un indiscret la vienne révéler,
Et n'osera rien plus que de dissimuler.

CLÉOBULE

Cependant vous savez, pour grand que soit ce crime,
Ce qu'a juré Placide en faveur de Didyme.
Piqué contre Marcelle, il cherche à la braver,
Et hasardera tout afin de le sauver.
Il a des amis prêts, il en assemble encore;
Et si quelque malheur vous rendait Théodore,
Je prévois des transports en lui si violents,

Que je crains pour Marcelle et même pour Valens.
Mais a-t-il condamné ce généreux coupable?

PAULIN

Il l'interroge encor, mais en juge implacable.

CLÉOBULE

Il m'a permis pourtant de l'attendre en ce lieu,
Pour tâcher à le vaincre, ou pour lui dire adieu.
Ah! qu'il dissiperait un dangereux orage,
S'il voulait à nos Dieux rendre le moindre hommage!

PAULIN

Quand de sa folle erreur vous l'auriez diverti,
En vain de ce péril vous le croiriez sorti.
Flavie est aux abois, Théodore échappée
D'un mortel désespoir jusqu'au cœur l'a frappée;
Marcelle n'attend plus que son dernier soupir :
Jugez à quelle rage ira son déplaisir;
Et si, comme on ne peut s'en prendre qu'à Didyme,
Son époux lui voudra refuser sa victime.

CLÉOBULE

Ah! Paulin, un chrétien à nos autels réduit
Fait auprès des Césars un trop précieux bruit :
Il leur devient trop cher pour souffrir qu'il périsse.
Mais je le vois déjà qu'on amène au supplice.

SCÈNE II

PAULIN, CLÉOBULE, LYCANTE, DIDYME

CLÉOBULE

Lycante, souffre ici l'adieu de deux amis,
Et me donne un moment que Valens m'a promis.

LYCANTE

J'en ai l'ordre, et je vais disposer ma cohorte
A garder cependant les dehors de la porte.

Je ne mets point d'obstacle à vos derniers secrets;
Mais tranchez promptement d'inutiles regrets.

SCÈNE III

CLÉOBULE, DIDYME, PAULIN

CLÉOBULE

Ce n'est point, cher ami, le cœur troublé d'alarmes
Que je t'attends ici pour te donner des larmes;
Un astre plus bénin vient d'éclairer tes jours :
Il faut vivre, Didyme, il faut vivre.

DIDYME

Et j'y cours.
Pour la cause de Dieu s'offrir en sacrifice,
C'est courir à la vie, et non pas au supplice.

CLÉOBULE

Peut-être dans ta secte est-ce une vision;
Mais l'heur que je t'apporte est sans illusion.
Théodore est à toi : ce dernier témoignage
Et de ta passion et de ton grand courage
A si bien en amour changé tous ses mépris,
Qu'elle t'attend chez moi pour t'en donner le prix.

DIDYME

Que me sert son amour et sa reconnaissance,
Alors que leur effet n'est plus en sa puissance?
Et qui t'amène ici par ce frivole attrait
Aux douceurs de ma mort mêler un vain regret,
Empêcher que ma joie à mon heur ne réponde,
Et m'arracher encore un regard vers le monde?
Ainsi donc Théodore est cruelle à mon sort
Jusqu'à persécuter et ma vie et ma mort :
Dans sa haine et sa flamme également à craindre,
Et moi dans l'une et l'autre également à plaindre!

CLÉOBULE

Ne te figure point d'impossibilité
Où tu fais, si tu veux, trop de facilité,

Où tu n'as qu'à te faire un moment de contrainte.
  Donne à ton Dieu ton cœur, aux nôtres quelque feinte.
Un peu d'encens offert au pied de leurs autels
Peut égaler ton sort au sort des immortels.

DIDYME

Et pour cela vers moi Théodore t'envoie?
Son esprit adouci me veut par cette voie?

CLÉOBULE

Non, elle ignore encor que tu sois arrêté;
Mais ose en sa faveur te mettre en liberté;
Ose te dérober aux fureurs de Marcelle,
Et Placide t'enlève en Égypte avec elle,
Où son cœur généreux te laisse entre ses bras
Être avec sûreté tout ce que tu voudras.

DIDYME

Va, dangereux ami que l'enfer me suscite,
Ton damnable artifice en vain me sollicite :
Mon cœur, inébranlable aux plus cruels tourments,
A presque été surpris de tes chatouillements;
Leur mollesse a plus fait que le fer ni la flamme :
Elle a frappé mes sens, elle a brouillé mon âme;
Ma raison s'est troublée, et mon faible a paru;
Mais j'ai dépouillé l'homme, et Dieu m'a secouru.
  Va revoir ta parente, et dis-lui qu'elle quitte
Ce soin de me payer par-delà mon mérite.
Je n'ai rien fait pour elle, elle ne me doit rien;
Ce qu'elle juge amour n'est qu'ardeur de chrétien :
C'est la connaître mal que de la reconnaître;
Je n'en veux point de prix que du souverain maître;
Et comme c'est lui seul que j'ai considéré,
C'est lui seul dont j'attends ce qu'il m'a préparé.
  Si pourtant elle croit me devoir quelque chose,
Et peut avant ma mort souffrir que j'en dispose,
Qu'elle paye à Placide, et tâche à conserver
Des jours que par les miens je viens de lui sauver;
Qu'elle fuie avec lui, c'est tout ce que veut d'elle
Le souvenir mourant d'une flamme si belle.
Mais elle-même vient, hélas ! à quel dessein?

SCÈNE IV

DIDYME, THÉODORE, CLÉOBULE,
PAULIN, LYCANTE

Lycante suit Théodore, et entre incontinent chez Marcelle, sans rien dire.

DIDYME

Pensez-vous m'arracher la palme de la main,
Madame, et mieux que lui m'expliquant votre envie,
Par un charme plus fort m'attacher à la vie?

THÉODORE

Oui, Didyme, il faut vivre et me laisser mourir :
C'est à moi qu'on en veut, c'est à moi de périr.

CLÉOBULE, *à Théodore.*

O Dieux ! quelle fureur aujourd'hui vous possède?
(A Paulin.)
Mais prévenons le mal par le dernier remède :
Je cours trouver Placide; et toi, tire en longueur
De Valens, si tu peux, la dernière rigueur.

SCÈNE V

DIDYME, THÉODORE, PAULIN

DIDYME

Quoi? ne craignez-vous point qu'une rage ennemie
Vous fasse de nouveau traîner à l'infamie?

THÉODORE

Non, non, Flavie est morte, et Marcelle en fureur
Dédaigne un châtiment qui m'a fait tant d'horreur;
Je n'en ai rien à craindre, et Dieu me le révèle :
Ce n'est plus que du sang que veut cette cruelle;
Et quelque cruauté qu'elle veuille essayer,

S'il ne faut que du sang j'ai trop de quoi payer.
Rends-moi, rends-moi ma place assez et trop gardée.
Pour me sauver l'honneur je te l'avais cédée :
Jusque-là seulement j'ai souffert ton secours;
Mais je la viens reprendre alors qu'on veut mes jours.
Rends, Didyme, rends-moi le seul bien où j'aspire :
C'est le droit de mourir, c'est l'honneur du martyre.
A quel titre peux-tu me retenir mon bien?

DIDYME

A quel droit voulez-vous vous emparer du mien?
C'est à moi qu'appartient, quoique vous puissiez dire,
Et le droit de mourir, et l'honneur du martyre;
De sort comme d'habits nous avons su changer,
Et l'arrêt de Valens me le vient d'adjuger.

THÉODORE

Tu t'obstines en vain, la haine de Marcelle...

SCÈNE VI

MARCELLE, THÉODORE, DIDYME, PAULIN,
LYCANTE, STÉPHANIE

MARCELLE, *à Lycante.*

Avec quelque douceur j'en reçois la nouvelle :
Non que mes déplaisirs s'en puissent soulager,
Mais c'est toujours beaucoup que se pouvoir venger.

THÉODORE

Madame, je vous viens rendre votre victime;
Ne le retenez plus, ma fuite est tout son crime :
Ce n'est qu'au lieu de moi qu'on le mène à l'autel,
Et puisque je me montre, il n'est plus criminel,
C'est pour moi que Placide a dédaigné Flavie;
C'est moi par conséquent qui lui coûte la vie.

DIDYME

Non : c'est moi seul, Madame, et vous l'avez pu voir,
Qui sauvant sa rivale, ai fait son désespoir.

MARCELLE

O couple de ma perte également coupable !
Sacrilèges auteurs du malheur qui m'accable,
Qui dans ce vain débat vous vantez à l'envi,
Lorsque j'ai tout perdu de me l'avoir ravi !
Donc jusques à ce point vous bravez ma colère,
Qu'en vous faisant périr je ne vous puis déplaire,
Et que loin de trembler sous la punition,
Vous y courez tous deux avec ambition !
Elle semble à tous deux porter un diadème;
Vous en êtes jaloux comme d'un bien suprême;
L'un et l'autre de moi s'efforce à l'obtenir :
Je puis vous immoler et ne puis vous punir;
Et quelque sang qu'épande une mère affligée,
Ne vous punissant pas elle n'est pas vengée.
Toutefois Placide aime, et votre châtiment
Portera sur son cœur ses coups plus puissamment;
Dans ce gouffre de maux c'est lui qui m'a plongée,
Et si je l'en punis, je suis assez vengée.

THÉODORE, *à Didyme.*

J'ai donc enfin gagné, Didyme, et tu le vois :
L'arrêt est prononcé, c'est moi dont on fait choix,
C'est moi qu'aime Placide, et ma mort te délivre.

DIDYME

Non, non : si vous mourez, Didyme vous doit suivre.

MARCELLE

Tu la suivras, Didyme, et je suivrai tes vœux :
Un déplaisir si grand n'a pas trop de tous deux.
Que ne puis-je aussi bien immoler à Flavie
Tous les chrétiens ensemble, et toute la Syrie !
Ou que ne peut ma haine avec un plein loisir
Animer les bourreaux qu'elle saurait choisir,
Repaître mes douleurs d'une mort dure et lente,
Vous la rendre à la fois et cruelle et traînante,
Et parmi les tourments soutenir votre sort,
Pour vous faire sentir chaque jour une mort !
Mais je sais le secours que Placide prépare;
Je sais l'effort pour vous que fera ce barbare;
Et ma triste vengeance a beau se consulter,

Il me faut ou la perdre ou la précipiter.
Hâtons-la donc, Lycante, et courons-y sur l'heure :
La plus prompte des morts eſt ici la meilleure;
N'avoir pour y descendre à pousser qu'un soupir,
C'eſt mourir doucement, mais c'eſt enfin mourir;
Et lorsqu'un grand obſtacle à nos fureurs s'oppose,
Se venger à demi, c'eſt du moins quelque chose.
Amenez-les tous deux.

PAULIN

Sans l'ordre de Valens?
Madame, écoutez moins des transports si bouillants:
Sur son autorité c'eſt beaucoup entreprendre.

MARCELLE

S'il en demande compte, eſt-ce à vous de le rendre?
Paulin, portez ailleurs vos conseils indiscrets,
Et ne prenez souci que de vos intérêts.

THÉODORE, *à Didyme.*

Ainsi de ce combat que la vertu nous donne,
Nous sortirons tous deux avec une couronne.

DIDYME

Oui, Madame, on exauce et vos vœux et les miens :
Dieu...

MARCELLE

Vous suivrez ailleurs de si doux entretiens.
Amenez-les tous deux.

PAULIN, *seul.*

Quel orage s'apprête !
Que je vois se former une horrible tempête !
Si Placide survient, que de sang répandu !
Et qu'il en répandra s'il trouve tout perdu !
Allons chercher Valens : qu'à tant de violence
Il oppose, non plus une molle prudence,
Mais un courage mâle, et qui d'autorité,
Sans rien craindre...

SCÈNE VII

VALENS, PAULIN

VALENS

Ah ! Paulin, eſt-ce une vérité,
Eſt-ce une illusion, eſt-ce une rêverie?
Viens-je d'ouïr la voix de Marcelle en furie,
Ose-t-elle traîner Théodore à la mort?

PAULIN

Oui, si Valens n'y fait un généreux effort.

VALENS

Quel effort généreux veux-tu que Valens fasse,
Lorsque de tous côtés il ne voit que disgrâce?

PAULIN

Faites voir qu'en ces lieux c'eſt vous qui gouvernez,
Qu'aucun n'y doit périr si vous ne l'ordonnez,
La Syrie à vos lois eſt-elle assujettie,
Pour souffrir qu'une femme y soit juge et partie?
Jugez de Théodore.

VALENS

Et qu'en puis-je ordonner
Qui dans mon triſte sort ne serve à me gêner?
Ne la condamner pas, c'eſt me perdre avec elle,
C'eſt m'exposer en butte aux fureurs de Marcelle,
Au pouvoir de son frère, au courroux des Césars,
Et pour un vain effort courir mille hasards.
La condamner d'ailleurs, c'eſt faire un parricide,
C'eſt de ma propre main assassiner Placide,
C'eſt lui porter au cœur d'inévitables coups.

PAULIN

Placide donc, Seigneur, osera plus que vous.
Marcelle a fait armer Lycante et sa cohorte;
Mais sur elle et sur eux il va fondre à main-forte,
Résolu de forcer pour cet objet charmant
Jusqu'à votre palais et votre appartement.
Prévenez ce désordre, et jugez quel carnage

Produit le désespoir qui s'oppose à la rage,
Et combien des deux parts l'amour et la fureur
Étaleront ici de spectacles d'horreur.

VALENS

N'importe, laissons faire et Marcelle et Placide :
Que l'amour en furie ou la haine en décide;
Que Théodore en meure ou ne périsse pas,
J'aurai lieu d'excuser sa vie ou son trépas.
S'il la sauve peut-être on trouvera dans Rome
Plus de cœur que de crime à l'ardeur d'un jeune homme.
Je l'en désavouerai, j'irai l'en accuser,
Les pousser par ma plainte à le favoriser,
A plaindre son malheur en blâmant son audace :
César même pour lui me demandera grâce;
Et cette illusion de ma sévérité
Augmentera ma gloire et mon autorité.

PAULIN

Et s'il ne peut sauver cet objet qu'il adore?
Si Marcelle à ses yeux fait périr Théodore?

VALENS

Marcelle aura sans moi commis cet attentat;
J'en saurai près de lui faire un crime d'État,
A ses ressentiments égaler ma colère,
Lui promettre vengeance et trancher du sévère,
Et n'ayant point de part en cet événement,
L'en consoler en père un peu plus aisément.
Mes soins avec le temps pourront tarir ses larmes.

PAULIN

Seigneur d'un mal si grand, c'est prendre peu d'alarmes.
Placide est violent, et pour la secourir
Il périra lui-même, ou fera tout périr.
Si Marcelle y succombe, appréhendez son frère,
Et si Placide y meurt, les déplaisirs d'un père.
De grâce, prévenez ce funeste hasard.
Mais que vois-je? peut-être il est déjà trop tard.
Stéphanie entre ici, de pleurs toute trempée.

VALENS

Théodore à Marcelle est sans doute échappée,
Et l'amour de Placide a bravé son effort.

SCÈNE VIII

VALENS, PAULIN, STÉPHANIE

VALENS, *à Stéphanie.*

Marcelle a donc osé les traîner à la mort
Sans mon su, sans mon ordre? et son audace extrême...

STÉPHANIE

Seigneur, pleurez sa perte, elle eſt morte elle-même.

VALENS

Elle eſt morte!

STÉPHANIE

Elle l'eſt.

VALENS

Et Placide a commis...

STÉPHANIE

Non, ce n'eſt en effet ni lui ni ses amis;
Mais s'il n'en eſt l'auteur, du moins il en eſt cause.

VALENS

Ah! pour moi l'un et l'autre eſt une même chose;
Et puisque c'eſt l'effet de leur inimitié,
Je dois venger sur lui cette chère moitié.
Mais apprends-moi sa mort, du moins si tu l'as vue.

STÉPHANIE

De l'escalier à peine elle était descendue,
Qu'elle aperçoit Placide aux portes du palais,
Suivi d'un gros armé d'amis et de valets;
Sur les bords du perron soudain elle s'avance,
Et pressant sa fureur qu'accroît cette présence :
« Viens, dit-elle, viens voir l'effet de ton secours »;
Et sans perdre de temps en de plus longs discours,
Ayant fait avancer l'une et l'autre victime,
D'un côté Théodore, et de l'autre Didyme,
Elle lève le bras, et de la même main
Leur enfonce à tous deux un poignard dans le sein.

VALENS

Quoi? Théodore est morte!

STÉPHANIE

Et Didyme avec elle.

VALENS

Et l'un et l'autre enfin de la main de Marcelle?
Ah! tout est pardonnable aux douleurs d'un amant,
Et quoi qu'ait fait Placide en son ressentiment...

STÉPHANIE

Il n'a rien fait, Seigneur; mais écoutez le reste :
Il demeure immobile à cet objet funeste;
Quelque ardeur qui le pousse à venger ce malheur,
Pour en avoir la force il a trop de douleur;
Il pâlit, il frémit, il tremble, il tombe, il pâme,
Sur son cher Cléobule il semble rendre l'âme.
Cependant, triomphante entre ces deux mourants,
Marcelle les contemple à ses pieds expirants,
Jouit de sa vengeance, et d'un regard avide
En cherche les douceurs jusqu'au cœur de Placide;
Et tantôt se repaît de leurs derniers soupirs,
Tantôt goûte à pleins yeux ses mortels déplaisirs,
Y mesure sa joie, et trouve plus charmante
La douleur de l'amant que la mort de l'amante,
Nous témoigne un dépit qu'après ce coup fatal,
Pour être trop sensible il sent trop peu son mal;
En hait sa pâmoison qui la laisse impunie,
Au péril de ses jours la souhaite finie.
Mais à peine il revit, qu'elle, haussant la voix :
« Je n'ai pas résolu de mourir à ton choix,
Dit-elle, ni d'attendre à rejoindre Flavie
Que ta rage insolente ordonne de ma vie. »
A ces mots, furieuse, et se perçant le flanc
De ce même poignard fumant d'un autre sang,
Elle ajoute : « Va, traître, à qui j'épargne un crime;
Si tu veux te venger, cherche une autre victime.
Je meurs, mais j'ai de quoi rendre grâces aux Dieux,
Puisque je meurs vengée, et vengée à tes yeux. »
Lors même, dans la mort conservant son audace,
Elle tombe, et tombant elle choisit sa place,

D'où son œil semble encore à longs traits se soûler
Du sang des malheureux qu'elle vient d'immoler.

VALENS

Et Placide?

STÉPHANIE

J'ai fui voyant Marcelle morte,
De peur qu'une douleur et si juste et si forte
Ne vengeât... Mais, Seigneur, je l'aperçois qui vient.

VALENS

Arrête, de faiblesse à peine il se soutient;
Et d'ailleurs à ma vue il saura se contraindre.
Ne crains rien. Mais, ô Dieux ! que j'ai moi-même à crain-
[dre !

SCÈNE IX

VALENS, PLACIDE, CLÉOBULE, PAULIN,
STÉPHANIE, TROUPE

VALENS

Cléobule, quel sang coule sur ses habits?

CLÉOBULE

Le sien propre, Seigneur.

VALENS

Ah, Placide, ah, mon fils !

PLACIDE

Retire-toi, cruel.

VALENS

Cet ami si fidèle
N'a pu rompre le coup qui t'immole à Marcelle !
Qui sont les assassins?

CLÉOBULE

Son propre désespoir.

VALENS

Et vous ne deviez pas le craindre et le prévoir?

CLÉOBULE

Je l'ai craint et prévu jusqu'à saisir ses armes;
Mais comme après ce soin j'en avais moins d'alarmes,
Embrassant Théodore, un funeste hasard
A fait dessous sa main rencontrer ce poignard,
Par où ses déplaisirs trompant ma prévoyance...

VALENS

Ah ! fallait-il avoir si peu de défiance?

PLACIDE

Rends-en grâces au ciel, heureux père et mari ;
Par là t'est conservé ce pouvoir si chéri,
Ta dignité, dans l'âme à ton fils préférée;
Ta propre vie enfin par là t'est assurée,
Et ce sang qu'un amour pleinement indigné
Peut-être en ses transports n'aurait pas épargné.
Pour ne point violer les droits de la naissance,
Il fallait que mon bras s'en mît dans l'impuissance :
C'est par là seulement qu'il s'est pu retenir,
Et je me suis puni de peur de te punir.
Je te punis pourtant : c'est ton sang que je verse;
Si tu m'aimes encor, c'est ton sein que je perce;
Et c'est pour te punir que je viens en ces lieux,
Pour le moins en mourant te blesser par les yeux,
Daigne ce juste ciel...

VALENS

Cléobule, il expire.

CLÉOBULE

Non, Seigneur, je l'entends encore qui soupire[10];
Ce n'est que la douleur qui lui coupe la voix.

VALENS

Non, non : j'ai tout perdu, Placide est aux abois;
Mais ne rejetons pas une espérance vaine,
Portons-le reposer dans la chambre prochaine;
Et vous autres, allez prendre souci des morts,
Tandis que j'aurai soin de calmer ses transports.

RODOGUNE
PRINCESSE DES PARTHES
TRAGÉDIE

A MONSEIGNEUR
MONSEIGNEUR LE PRINCE

MONSEIGNEUR,

Rodogune se présente à Votre Altesse avec quelque sorte de confiance, et ne peut croire qu'après avoir fait sa bonne fortune, vous dédaigniez de la prendre en votre protection. Elle a trop de connaissance de votre bonté pour craindre que vous veuilliez laisser votre ouvrage imparfait, et lui dénier la continuation des grâces dont vous lui avez été si prodigue. C'est à votre illustre suffrage qu'elle est obligée de tout ce qu'elle a reçu d'applaudissement ; et les favorables regards dont il vous plut fortifier la faiblesse de sa naissance lui donnèrent tant d'éclat et de vigueur, qu'il semblait que vous eussiez pris plaisir à répandre sur elle un rayon de cette gloire qui vous environne, et à lui faire part de cette facilité de vaincre qui vous suit partout. Après cela, MONSEIGNEUR, quels hommages peut-elle rendre à Votre Altesse qui ne soient au-dessous de ce qu'elle doit? Si elle tâche à lui témoigner quelque reconnaissance par l'admiration de ses vertus, où trouvera-t-elle des éloges dignes de cette main qui fait trembler tous nos ennemis, et dont les coups d'essai furent signalés par la défaite des premiers capitaines de l'Europe? Votre Altesse sut vaincre avant qu'ils se pussent imaginer qu'elle sût combattre ; et ce grand courage, qui n'avait encore vu la guerre que dans les livres, effaça tout ce qu'il avait lu des Alexandres et des Césars, sitôt qu'il parut à la tête d'une armée. La générale consternation où la perte de notre grand monarque nous avait plongés, enflait l'orgueil de nos adversaires en un tel point qu'ils osaient se persuader que du siège de Rocroi dépendait la prise de Paris, et l'avidité de leur ambition dévorait déjà le cœur d'un royaume dont ils pensaient avoir surpris les frontières. Cependant les premiers miracles de votre valeur renversèrent si pleinement toutes leurs espérances, que ceux-là mêmes qui s'étaient promis tant de conquêtes sur nous virent terminer la campagne de cette même année par celles que vous fîtes sur eux. Ce fut par là, MONSEIGNEUR, que vous commençâtes ces grandes victoires que vous avez toujours si bien choisies, qu'elles ont honoré deux règnes tout à la fois, comme si c'eût été trop peu pour Votre Altesse d'étendre les bornes de l'État sous celui-ci, si elle n'eût en même temps effacé quelques-uns des malheurs qui s'étaient mêlés aux longues prospérités de l'autre. Thionville, Philipsbourg et Nordlinghen[1], étaient des lieux funestes pour la France : elle n'en pouvait entendre les noms sans gémir ; elle ne pouvait y porter sa pensée sans soupirer ; et ces mêmes lieux, dont le souvenir lui arrachait des soupirs et des gémissements, sont devenus les éclatantes marques de sa nouvelle félicité, les dignes occasions de ses feux de joie, et les glorieux sujets des actions de grâces qu'elle a rendues au ciel pour les triomphes que votre courage invincible en a obtenus. Dispensez-moi,

MONSEIGNEUR, de vous parler de Dunquerque : j'épuise toutes les forces de mon imagination, et je ne conçois rien qui réponde à la dignité de ce grand ouvrage, qui nous vient d'assurer l'Océan par la prise de cette fameuse retraite de corsaires. Tous nos havres en étaient comme assiégés ; il n'en pouvait échapper un vaisseau qu'à la merci de leurs brigandages ; et nous en avons vu souvent de pillés à la vue des mêmes ports dont ils venaient de faire voile ; et maintenant, par la conquête d'une seule ville, je vois, d'un côté, nos mers libres, nos côtes affranchies, notre commerce rétabli, la racine de nos maux publics coupée ; d'autre côté la Flandre ouverte, l'embouchure de ses rivières captive, la porte de son secours fermée, la source de son abondance en notre pouvoir ; et ce que je vois n'est rien encore au prix de ce que je prévois sitôt que Votre Altesse y reportera la terreur de ses armes. Dispensez-moi donc, MONSEIGNEUR, de profaner des effets si merveilleux et des attentes si hautes par la bassesse de mes idées et par l'impuissance de mes expressions ; et trouvez bon que demeurant dans un respectueux silence, je n'ajoute rien ici qu'une protestation très-inviolable d'être toute ma vie,

MONSEIGNEUR,

DE VOTRE ALTESSE,

Le très-humble, très-obéissant et très-passionné serviteur,

CORNEILLE.

APPIAN ALEXANDRIN

AU LIVRE DES *GUERRES DE SYRIE,* SUR LA FIN

« Démétrius, surnommé Nicanor, roi de Syrie, entreprit la guerre contre les Parthes, et étant devenu leur prisonnier, vécut dans la cour de leur roi Phraates, dont il épousa la sœur nommée Rodogune. Cependant Diodotus, domestique des rois précédents, s'empara du trône de Syrie, et y fit asseoir un Alexandre, encore enfant, fils d'Alexandre le Bâtard, et d'une fille de Ptolémée. Ayant gouverné quelque temps comme son tuteur, il se défit de ce malheureux pupille, et eut l'insolence de prendre lui-même la couronne sous un nouveau nom de Tryphon qu'il se donna. Mais Antiochus, frère du Roi prisonnier, ayant appris à Rhodes sa captivité, et les troubles qui l'avaient suivie, revint dans le pays, où ayant défait Tryphon avec beaucoup de peine, il le fit mourir. De là il porta ses armes contre Phraates lui redemandant son frère; et vaincu dans une bataille, il se tua lui-même. Démétrius, retourné en son royaume, fut tué par sa femme Cléopâtre, qui lui dressa des embûches en haine de cette seconde femme Rodogune qu'il avait épousée, dont elle avait conçu une telle indignation, que pour s'en venger elle avait épousé ce même Antiochus, frère de son mari. Elle avait deux fils de Démétrius : l'un nommé Séleucus, et l'autre Antiochus, dont elle tua le premier d'un coup de flèche, sitôt qu'il eut pris le diadème après la mort de son père, soit qu'elle craignît qu'il ne la voulût venger, soit que l'impétuosité de la même fureur la portât à ce nouveau parricide. Antiochus lui succéda, qui contraignit cette mauvaise mère de boire le poison qu'elle lui avait préparé. C'est ainsi qu'elle fut enfin punie. »

Voilà ce que m'a prêté l'histoire, où j'ai changé les circonstances de quelques incidents, pour leur donner plus de bienséance. Je me suis servi du nom de Nicanor plutôt que de celui de Démétrius, à cause que le vers souffrait plus aisément l'un que l'autre. J'ai supposé qu'il n'avait pas encore épousé Rodogune, afin que ses deux fils pussent avoir de l'amour pour elle sans choquer les spectateurs, qui eussent trouvé étrange cette passion pour la veuve de leur père, si j'eusse suivi l'histoire. L'ordre de leur naissance incertain, Rodogune prisonnière, quoiqu'elle ne vînt jamais en Syrie, la haine de Cléopâtre pour elle, la proposition sanglante qu'elle fait à ses fils, celle que cette princesse est obligée de leur faire pour se garantir, l'inclination qu'elle a pour Antiochus, et la jalouse fureur de cette mère qui se résout plutôt à perdre ses fils qu'à se voir sujette de sa rivale, ne sont que des embellissements de l'invention, et des acheminements vraisemblables à l'effet dénaturé que me présentait l'histoire, et que les lois du poëme ne me permettaient pas de changer. Je l'ai même adouci tant que j'ai pu en Antiochus, que j'avais fait trop honnête homme, dans le reste de l'ouvrage, pour forcer à la fin sa mère à s'empoisonner soi-même.

On s'étonnera peut-être de ce que j'ai donné à cette tragédie le nom de *Rodogune* plutôt que celui de *Cléopâtre,* sur qui tombe toute l'action tragique, et même on pourra douter si la liberté de la poésie peut s'étendre jusqu'à feindre un sujet entier sous des noms véritables, comme j'ai fait ici, où depuis la narration du premier acte, qui sert de fondement au reste, jusques aux effets qui paraissent dans le cinquième, il n'y a rien que l'histoire avoue.

Pour le premier, je confesse ingénument que ce poëme devait plutôt porter le nom de *Cléopâtre* que de *Rodogune;* mais ce qui m'a fait en user ainsi a été la peur que j'ai eue qu'à ce nom le peuple ne se laissât préoccuper des idées de cette fameuse et dernière reine d'Égypte, et ne confondît cette reine de Syrie avec elle, s'il l'entendait prononcer. C'est pour cette même raison que j'ai évité de le mêler dans mes vers, n'ayant jamais fait parler de cette seconde Médée que sous celui de la Reine; et je me suis enhardi à cette licence d'autant plus librement, que j'ai remarqué parmi nos anciens maîtres qu'ils se sont fort peu mis en peine de donner à leurs poëmes le nom des héros qu'ils y faisaient paraître, et leur ont souvent fait porter celui des chœurs, qui ont encore bien moins de part dans l'action que les personnages épisodiques, comme Rodogune : témoin *les Trachiniennes* de Sophocle, que nous n'aurions jamais voulu nommer autrement que *la Mort d'Hercule.*

Pour le second point, je le tiens un peu plus difficile à résoudre, et n'en voudrais pas donner mon opinion pour bonne : j'ai cru que pourvu que nous conservassions les effets de l'histoire, toutes les circonstances, ou, comme je viens de les nommer, les acheminements, étaient en notre pouvoir; au moins je ne pense point avoir vu de règle qui restreigne cette liberté que j'ai prise. Je m'en suis assez bien trouvé en cette tragédie; mais comme je l'ai poussée encore plus loin dans *Héraclius,* que je viens de mettre sur le théâtre, ce sera en le donnant au public que je tâcherai de la justifier, si je vois que les savants s'en offensent, ou que le peuple en murmure. Cependant ceux qui en auront quelque scrupule m'obligeront de considérer les deux *Électre* de Sophocle et d'Euripide, qui conservant le même effet, y parviennent par des voies si différentes, qu'il faut nécessairement conclure que l'une des deux est tout à fait de l'invention de son auteur. Ils pourront encore jeter l'œil sur l'*Iphigénie in Tauris,* que notre Aristote nous donne pour exemple d'une parfaite tragédie, et qui a bien la mine d'être toute de même nature, vu qu'elle n'est fondée que sur cette feinte que Diane enleva Iphigénie du sacrifice dans une nuée, et supposa une biche en sa place. Enfin, ils pourront prendre garde à l'*Hélène* d'Euripide, où la principale action et les épisodes, le nœud et le dénouement sont entièrement inventés, sous des noms véritables.

Au reste, si quelqu'un a la curiosité de voir cette histoire plus au long, qu'il prenne la peine de lire Justin, qui la commence au trente-sixième livre, et l'ayant quittée la reprend sur la fin du trente et huitième, et l'achève au trente-neuvième. Il la rapporte un peu autrement, et ne dit pas que Cléopâtre tua son mari, mais qu'elle l'abandonna, et qu'il fut tué par le commandement d'un des capitaines d'un Alexandre, qu'il lui oppose. Il varie aussi beaucoup sur ce qui regarde Tryphon et son pupille, qu'il nomme Antiochus, et ne s'accorde avec Appian que sur ce qui se passa entre la mère et les deux fils.

Le premier livre des *Machabées,* aux chapitres 11, 13, 14 et 15, parle de ces guerres de Tryphon et de la prison de Démétrius chez les Parthes; mais il nomme ce pupille Antiochus, ainsi que Justin, et attribue la défaite de Tryphon à Antiochus, fils de Démétrius, et non pas à son frère, comme fait Appian, que j'ai suivi, et ne dit rien du reste.

Josèphe, au 13. livre des *Antiquités judaïques*, nomme encore ce pupille de Tryphon Antiochus, fait marier Cléopâtre à Antiochus, frère de Démétrius, durant la captivité de ce premier mari chez les Parthes, lui attribue la défaite et la mort de Tryphon, s'accorde avec Justin touchant la mort de Démétrius, abandonné et non pas tué par sa femme, et ne parle point de ce qu'Appian et lui rapportent d'elle et de ses deux fils, dont j'ai fait cette tragédie.

EXAMEN[2]

Le sujet de cette tragédie est tiré d'Appian Alexandrin, dont voici les paroles, sur la fin du livre qu'il a fait des *Guerres de Syrie* : « Démétrius, surnommé Nicanor, entreprit la guerre contre » les Parthes, et vécut quelque temps prisonnier dans la cour de » leur roi Phraates, dont il épousa la sœur, nommée Rodogune. » Cependant Diodotus, domestique des rois précédents, s'empara » du trône de Syrie, et y fit asseoir un Alexandre, encore enfant, » fils d'Alexandre le Bâtard et d'une fille de Ptolémée. Ayant gou- » verné quelque temps comme tuteur sous le nom de ce pupille, » il s'en défit, et prit lui-même la couronne sous un nouveau nom » de Tryphon qu'il se donna. Antiochus, frère du Roi prisonnier, » ayant appris sa captivité à Rhodes, et les troubles qui l'avaient » suivie, revint dans la Syrie, où ayant défait Tryphon, il le fit » mourir. De là il porta ses armes contre Phraates, et vaincu » dans une bataille, il se tua lui-même. Démétrius, retournant en » son royaume, fut tué par sa femme Cléopâtre, qui lui dressa des » embûches sur le chemin, en haine de cette Rodogune qu'il » avait épousée, dont elle avait conçu une telle indignation, » qu'elle avait épousé ce même Antiochus, frère de son mari. » Elle avait deux fils de Démétrius, dont elle tua Séleucus, l'aîné, » d'un coup de flèche, sitôt qu'il eut pris le diadème après la » mort de son père, soit qu'elle craignît qu'il ne la voulût venger » sur elle, soit que la même fureur l'emportât à ce nouveau parri- » cide. Antiochus son frère lui succéda, et contraignit cette mère » dénaturée de prendre le poison qu'elle lui avait préparé. »

Justin, en son 36, 38 et 39-livre, raconte cette histoire plus au long, avec quelques autres circonstances. Le premier des *Machabées*, et Josèphe, au 13. des *Antiquités judaïques,* en disent aussi quelque chose, qui ne s'accorde pas tout à fait avec Appian. C'est à lui que je me suis attaché pour la narration que j'ai mise au premier acte, et pour l'effet du cinquième, que j'ai adouci du côté d'Antiochus. J'en ai dit la raison ailleurs. Le reste sont des épisodes d'invention, qui ne sont pas incompatibles avec l'histoire, puisqu'elle ne dit point ce que devint Rodogune après la mort de Démétrius, qui vraisemblablement l'amenait en Syrie prendre possession de sa couronne. J'ai fait porter à la pièce le nom de cette princesse plutôt que celui de Cléopâtre, que je n'ai même osé nommer dans mes vers, de peur qu'on ne confondît cette reine de Syrie avec cette fameuse princesse d'Égypte qui portait même nom, et que l'idée de celle-ci, beaucoup plus connue que l'autre, ne semât une dangereuse préoccupation parmi les auditeurs.

On m'a souvent fait une question à la cour : quel était celui de mes poëmes que j'estimais le plus; et j'ai trouvé tous ceux qui me l'ont faite si prévenus en faveur de *Cinna* ou du *Cid,* que je n'ai jamais osé déclarer toute la tendresse que j'ai toujours eue pour celui-ci, à qui j'aurais volontiers donné mon suffrage, si je n'avais craint de manquer, en quelque sorte, au respect que je devais à ceux que je voyais pencher d'un autre côté[3]. Cette préférence est peut-être en moi un effet de ces inclinations aveugles qu'ont beaucoup de pères pour quelques-uns de leurs enfants plus que pour les autres; peut-être y entre-t-il un peu d'amour-propre, en ce que cette tragédie me semble être un peu plus à moi que celles qui l'ont précédée, à cause des incidents surprenants qui sont purement de mon invention, et n'avaient jamais été vus au théâtre; et peut-être enfin y a-t-il un peu de vrai mérite qui fait que cette inclination n'est pas tout à fait injuste. Je veux bien laisser chacun en liberté de ses sentiments, mais certainement on peut dire que mes autres pièces ont peu d'avantages qui ne se rencontrent en celle-ci : elle a tout ensemble la beauté du sujet, la nouveauté des fictions, la force des vers, la facilité de l'expression, la solidité du raisonnement, la chaleur des passions, les tendresses de l'amour et de l'amitié; et cet heureux assemblage est ménagé de sorte qu'elle s'élève d'acte en acte. Le second passe le premier, le troisième est au-dessus du second, et le dernier l'emporte sur tous les autres. L'action y est une, grande, complète; sa durée ne va point, ou fort peu, au delà de celle de la représentation. Le jour en est le plus illustre qu'on puisse imaginer, et l'unité de lieu s'y rencontre en la manière que je l'explique dans le troisième de ces discours, et avec l'indulgence que j'ai demandée pour le théâtre.

Ce n'est pas que je me flatte assez pour présumer qu'elle soit sans taches. On a fait tant d'objections contre la narration de Laonice au premier acte, qu'il est malaisé de ne donner pas les mains à quelques-unes. Je ne la tiens pas toutefois si inutile qu'on l'a dit. Il est hors de doute que Cléopâtre, dans le second, ferait connaître beaucoup de choses par sa confidence avec cette Laonice, et par le récit qu'elle en fait à ses deux fils, pour leur remettre devant les yeux combien ils lui ont d'obligation; mais ces deux scènes demeureraient assez obscures, si cette narration ne les avait précédées, et du moins les justes défiances de Rodogune à la fin du premier acte, et la peinture que Cléopâtre fait d'elle-même dans son monologue qui ouvre le second, n'auraient pu se faire entendre sans ce secours.

J'avoue qu'elle est sans artifice, et qu'on la fait de sang-froid à un personnage protatique[4], qui se pourrait toutefois justifier par les deux exemples de Térence que j'ai cités sur ce sujet au premier discours. Timagène, qui l'écoute, n'est introduit que pour l'écouter, bien que je l'emploie au cinquième à faire celle[5] de la mort de Séleucus, qui se pouvait faire par un autre. Il l'écoute sans y avoir aucun intérêt notable, et par simple curiosité d'apprendre ce qu'il pouvait avoir su déjà en la cour d'Égypte, où il était en assez bonne posture, étant gouverneur des neveux du Roi, pour entendre des nouvelles assurées de tout ce qui se passait dans la Syrie, qui en est voisine. D'ailleurs, ce qui ne peut recevoir d'excuse, c'est que, comme il y avait déjà quelque temps qu'il était de retour avec les princes, il n'y a pas d'apparence qu'il aye attendu ce grand jour de cérémonie pour s'informer de sa sœur comment se sont passés tous ces troubles qu'il dit ne savoir que confusément. Pollux, dans *Médée,* n'est qu'un personnage protatique qui écoute sans intérêt comme lui; mais sa surprise de voir Jason à Corinthe, où il vient d'arriver, et son séjour en Asie, que la mer en sépare, lui donnent juste sujet d'ignorer ce qu'il en apprend. La narration ne laisse pas de demeurer froide comme celle-ci, parce qu'il ne s'est encore rien passé dans la pièce qui excite la curiosité de l'auditeur, ni qui lui puisse donner quelque émotion en l'écoutant; mais si vous voulez réfléchir sur celle de Curiace dans l'*Horace,* vous trouverez qu'elle fait tout un autre effet. Camille, qui l'écoute, a intérêt, comme lui, à savoir comment s'est faite une paix dont dépend leur mariage; et l'auditeur, que Sabine et elle n'ont entretenu que de leurs malheurs et des appréhensions d'une bataille qui se va donner entre deux partis où elles voient leurs frères dans l'un et leur amour dans l'autre, n'a pas moins d'avidité qu'elle d'apprendre comment une paix si surprenante s'est pu conclure.

Ces défauts dans cette narration confirment ce que j'ai dit ailleurs[6], que lorsque la tragédie a son fondement sur des guerres entre deux États, ou sur d'autres affaires publiques, il est très-malaisé d'introduire un acteur qui les ignore, et qui puisse recevoir le récit qui en doit instruire les spectateurs en parlant à lui.

J'ai déguisé quelque chose de la vérité historique en celui-ci : Cléopâtre n'épousa Antiochus qu'en haine de ce que son mari avait épousé Rodogune chez les Parthes, et je fais qu'elle ne l'épouse que par la nécessité de ses affaires, sur un faux bruit de la mort de Démétrius, tant pour ne la faire pas méchante sans nécessité, comme Ménélas dans l'*Oreste* d'Euripide, que pour avoir lieu de feindre que Démétrius n'avait pas encore épousé Rodogune, et venait l'épouser dans son royaume pour la mieux établir en la place de l'autre, par le consentement de ses peuples, et assurer la couronne aux enfants qui naîtraient de ce mariage. Cette fiction m'était absolument nécessaire, afin qu'il fût tué avant que de l'avoir épousée, et que l'amour que ses deux fils ont pour elle ne fît point d'horreur aux spectateurs, qui n'auraient pas manqué d'en prendre une assez forte, s'ils les eussent vus amoureux de la veuve de leur père : tant cette affection incestueuse répugne à nos mœurs !

Cléopâtre a lieu d'attendre ce jour-là à faire confidence à Laonice de ses desseins et des véritables raisons de tout ce qu'elle a fait. Elle eût pu trahir son secret aux princes ou à Rodogune, si elle l'eût su plus tôt; et cette ambitieuse mère ne lui en fait part qu'au moment qu'elle veut bien qu'il éclate, par la cruelle proposition qu'elle va faire à ses fils. On a trouvé celle que Rodogune leur fait à son tour indigne d'une personne vertueuse, comme je la peins; mais on n'a pas considéré qu'elle ne la fait pas, comme Cléopâtre, avec espoir de la voir exécuter par les princes, mais seulement pour s'exempter d'en choisir aucun, et les attacher tous deux à sa protection par une espérance égale. Elle était avertie par Laonice de celle que la Reine leur avait faite, et devait prévoir que, si elle se fût déclarée pour Antiochus qu'elle aimait, son ennemie, qui avait seule le secret de leur naissance, n'eût pas manqué de nommer Séleucus pour aîné afin de les commettre l'un contre l'autre, et d'exciter une guerre civile qui eût pu causer sa perte. Ainsi elle devait s'exempter de choisir, pour les contenir tous deux dans l'égalité de prétention, et elle n'en avait point de meilleur moyen que de rappeler le souvenir de ce qu'elle devait à la mémoire de leur père, qui avait perdu la vie pour elle, et leur faire cette proposition qu'elle savait bien qu'ils n'accepteraient pas. Si le traité de paix l'avait forcée à se départir de ce juste sentiment de reconnaissance, la liberté qu'ils lui rendaient la rejetait dans cette obligation. Il était de son devoir de venger cette mort; mais il était de celui des princes de ne se pas charger de cette vengeance. Elle avoue elle-même à Antiochus qu'elle les haïrait, s'ils lui avaient obéi; que comme elle a fait ce qu'elle a dû par cette demande, ils font ce qu'ils doivent par leur refus; qu'elle aime trop la vertu pour vouloir être le prix d'un crime, et que la justice qu'elle demande de la mort de leur père serait un parricide, si elle la recevait de leurs mains.

Je dirai plus : quand cette proposition serait tout à fait condamnable en sa bouche, elle mériterait quelque grâce et pour l'éclat que la nouveauté de l'invention a fait au théâtre, et pour l'embarras surprenant où elle jette les princes, et pour l'effet qu'elle produit dans le reste de la pièce qu'elle conduit à l'action historique. Elle est cause que Séleucus, par dépit, renonce au trône et à la possession de cette princesse; que la Reine, le voulant animer contre son frère, n'en peut rien obtenir, et qu'enfin elle se résout par désespoir de les perdre tous deux, plutôt que de se voir sujette de son ennemie.

Elle commence par Séleucus, tant pour suivre l'ordre de l'histoire, que parce que, s'il fût demeuré en vie après Antiochus et Rodogune, qu'elle voulait empoisonner publiquement, il les aurait pu venger. Elle ne craint pas la même chose d'Antiochus pour son frère, d'autant qu'elle espère que le poison violent qu'elle lui a préparé fera un effet assez prompt pour le faire mourir avant qu'il ait pu rien savoir de cette autre mort, ou du moins avant qu'il l'en puisse convaincre, puisqu'elle a si bien pris son temps pour l'assassiner, que ce parricide n'a point eu de témoins. J'ai parlé ailleurs de l'adoucissement que j'ai apporté pour empêcher qu'Antiochus n'en commît un en la forçant de prendre le poison qu'elle lui présente, et du peu d'apparence qu'il y avait qu'un moment après qu'elle a expiré presque à sa vue, il parlât d'amour et de mariage à Rodogune. Dans l'état où ils rentrent derrière le théâtre, ils peuvent le résoudre quand ils le jugeront à propos. L'action est complète, puisqu'ils sont hors de péril; et la mort de Séleucus m'a exempté de développer le secret du droit d'aînesse entre les deux frères, qui d'ailleurs n'eût jamais été croyable, ne pouvant être éclairci que par une bouche en qui l'on n'a pas vu assez de sincérité pour prendre aucune assurance sur son témoignage.

ACTEURS

CLÉOPATRE, *Reine de Syrie, veuve de Démétrius Nicanor.*
SÉLEUCUS, } *Fils de Démétrius et de Cléopâtre.*
ANTIOCHUS, }
RODOGUNE, *Sœur de Phraates, Roi des Parthes.*
TIMAGÈNE, *Gouverneur des deux princes.*
ORONTE, *Ambassadeur de Phraates.*
LAONICE, *Sœur de Timagène, confidente de Cléopâtre.*

La scène est à Séleucie, dans le palais royal.

ACTE PREMIER

SCÈNE PREMIÈRE

LAONICE, TIMAGÈNE

LAONICE

ENFIN ce jour pompeux, cet heureux jour nous luit,
Qui d'un trouble si long doit dissiper la nuit,
Ce grand jour où l'hymen, étouffant la vengeance,
Entre le Parthe et nous remet l'intelligence,
Affranchit sa princesse, et nous fait pour jamais
Du motif de la guerre un lien de la paix;
Ce grand jour est venu, mon frère, où notre reine,
Cessant de plus tenir la couronne incertaine,
Doit rompre aux yeux de tous son silence obstiné,
De deux princes gémeaux nous déclarer l'aîné;
Et l'avantage seul d'un moment de naissance,
Dont elle a jusqu'ici caché la connaissance,
Mettant au plus heureux le sceptre dans la main,
Va faire l'un sujet, et l'autre souverain.
Mais n'admirez-vous point que cette même reine
Le donne pour époux à l'objet de sa haine,
Et n'en doit faire un roi qu'afin de couronner
Celle que dans les fers elle aimait à gêner?
Rodogune, par elle en esclave traitée,
Par elle se va voir sur le trône montée,
Puisque celui des deux qu'elle nommera roi
Lui doit donner sa main et recevoir sa foi.

TIMAGÈNE

Mais pour mieux admirer, trouvez bon, je vous prie,
Que j'apprenne de vous les troubles de Syrie.
J'en ai vu les premiers, et me souviens encor
Des malheureux succès du grand roi Nicanor,
Quand des Parthes vaincus pressant l'adroite fuite,
Il tomba dans leurs fers au bout de sa poursuite.

Je n'ai pas oublié que cet événement
Du perfide Tryphon fit le soulèvement.
Voyant le Roi captif, la Reine désolée,
Il crut pouvoir saisir la couronne ébranlée;
Et le sort, favorable à son lâche attentat,
Mit d'abord sous ses lois la moitié de l'État.
La Reine, craignant tout de ces nouveaux orages,
En sut mettre à l'abri ses plus précieux gages;
Et pour n'exposer pas l'enfance de ses fils,
Me les fit chez son frère enlever à Memphis.
Là, nous n'avons rien su que de la renommée,
Qui par un bruit confus diversement semée,
N'a porté jusqu'à nous ces grands renversements
Que sous l'obscurité de cent déguisements.

LAONICE

Sachez donc que Tryphon, après quatre batailles,
Ayant su nous réduire à ces seules murailles,
En forma tôt le siège; et pour comble d'effroi,
Un faux bruit s'y coula touchant la mort du Roi.
Le peuple épouvanté, qui déjà dans son âme
Ne suivait qu'à regret les ordres d'une femme,
Voulut forcer la Reine à choisir un époux.
Que pouvait-elle faire et seule et contre tous?
Croyant son mari mort, elle épousa son frère.
L'effet montra soudain ce conseil salutaire.
Le prince Antiochus, devenu nouveau roi,
Sembla de tous côtés traîner l'heur avec soi :
La victoire attachée au progrès de ses armes
Sur nos fiers ennemis rejeta nos alarmes;
Et la mort de Tryphon dans un dernier combat,
Changeant tout notre sort, lui rendit tout l'État.
Quelque promesse alors qu'il eût faite à la mère
De remettre ses fils au trône de leur père,
Il témoigna si peu de la vouloir tenir,
Qu'elle n'osa jamais les faire revenir.
Ayant régné sept ans, son ardeur militaire
Ralluma cette guerre où succomba son frère :
Il attaqua le Parthe, et se crut assez fort
Pour en venger sur lui la prison et la mort.
Jusque dans ses États il lui porta la guerre;
Il s'y fit partout craindre à l'égal du tonnerre;
Il lui donna bataille, où mille beaux exploits...

Je vous achèverai le reste une autre fois,
Un des princes survient.

Elle veut se retirer.

SCÈNE II

ANTIOCHUS, TIMAGÈNE, LAONICE

ANTIOCHUS

Demeurez, Laonice :
Vous pouvez, comme lui, me rendre un bon office.
Dans l'état où je suis, triste et plein de souci,
Si j'espère beaucoup, je crains beaucoup aussi.
Un seul mot aujourd'hui, maître de ma fortune,
M'ôte ou donne à jamais le sceptre et Rodogune;
Et de tous les mortels ce secret révélé
Me rend le plus content ou le plus désolé.
Je vois dans le hasard tous les biens que j'espère,
Et ne puis être heureux sans le malheur d'un frère;
Mais d'un frère si cher, qu'une sainte amitié
Fait sur moi de ses maux rejaillir la moitié. [tendre;
Donc, pour moins hasarder, j'aime mieux moins pré-
Et pour rompre le coup que mon cœur n'ose attendre,
Lui cédant de deux biens le plus brillant aux yeux,
M'assurer de celui qui m'est plus précieux.
Heureux si, sans attendre un fâcheux droit d'aînesse,
Pour un trône incertain j'en obtiens la Princesse,
Et puis par ce partage épargner les soupirs
Qui naîtraient de ma peine ou de ses déplaisirs !
Va le voir de ma part, Timagène, et lui dire
Que pour cette beauté je lui cède l'empire;
Mais porte-lui si haut la douceur de régner,
Qu'à cet éclat du trône il se laisse gagner;
Qu'il s'en laisse éblouir jusqu'à ne pas connaître
A quel prix je consens de l'accepter pour maître.

(Timagène s'en va, et le prince continue à parler à Laonice.)

Et vous, en ma faveur voyez ce cher objet,
Et tâchez d'abaisser ses yeux sur un sujet
Qui peut-être aujourd'hui porterait la couronne,

S'il n'attachait les siens à sa seule personne,
Et ne la préférait à cet illustre rang
Pour qui les plus grands cœurs prodiguent tout leur sang.

Timagène rentre sur le théâtre.

TIMAGÈNE

Seigneur, le Prince vient, et votre amour lui-même
Lui peut sans interprète offrir le diadème.

ANTIOCHUS

Ah ! je tremble, et la peur d'un trop juste refus
Rend ma langue muette et mon esprit confus.

SCÈNE III

SÉLEUCUS, ANTIOCHUS, TIMAGÈNE,
LAONICE

SÉLEUCUS

Vous puis-je en confiance expliquer ma pensée?

ANTIOCHUS

Parlez : notre amitié par ce doute est blessée.

SÉLEUCUS

Hélas ! c'est le malheur que je crains aujourd'hui.
L'égalité, mon frère, en est le ferme appui;
C'en est le fondement, la liaison, le gage;
Et voyant d'un côté tomber tout l'avantage,
Avec juste raison je crains qu'entre nous deux
L'égalité rompue en rompe les doux nœuds,
Et que ce jour, fatal à l'heur de notre vie,
Jette sur l'un de nous trop de honte ou d'envie.

ANTIOCHUS

Comme nous n'avons eu jamais qu'un sentiment,
Cette peur me touchait, mon frère, également;
Mais si vous le voulez, j'en sais bien le remède.

SÉLEUCUS

Si je le veux ! bien plus, je l'apporte, et vous cède
Tout ce que la couronne a de charmant en soi.

Oui, Seigneur, car je parle à présent à mon Roi,
Pour le trône cédé, cédez-moi Rodogune,
Et je n'envierai point votre haute fortune.
Ainsi notre destin n'aura rien de honteux,
Ainsi notre bonheur n'aura rien de douteux;
Et nous mépriserons ce faible droit d'aînesse,
Vous, satisfait du trône, et moi de la Princesse.

ANTIOCHUS

Hélas !

SÉLEUCUS

Recevez-vous l'offre avec déplaisir?

ANTIOCHUS

Pouvez-vous nommer offre une ardeur de choisir,
Qui de la même main qui me cède un empire,
M'arrache un bien plus grand, et le seul où j'aspire?

SÉLEUCUS

Rodogune?

ANTIOCHUS

Elle-même; ils en sont les témoins.

SÉLEUCUS

Quoi? l'estimez-vous tant?

ANTIOCHUS

Quoi? l'estimez-vous moins?

SÉLEUCUS

Elle vaut bien un trône, il faut que je le die.

ANTIOCHUS

Elle vaut à mes yeux tout ce qu'en a l'Asie.

SÉLEUCUS

Vous l'aimez donc, mon frère?

ANTIOCHUS

Et vous l'aimez aussi :
C'est là tout mon malheur, c'est là tout mon souci.

J'espérais que l'éclat dont le trône se pare
Toucherait vos désirs plus qu'un objet si rare;
Mais aussi bien qu'à moi son prix vous est connu,
Et dans ce juste choix vous m'avez prévenu.
Ah, déplorable prince !

SÉLEUCUS

Ah, destin trop contraire !

ANTIOCHUS

Que ne ferais-je point contre un autre qu'un frère?

SÉLEUCUS

O mon cher frère ! ô nom pour un rival trop doux !
Que ne ferais-je point contre un autre que vous?

ANTIOCHUS

Où nous vas-tu réduire, amitié fraternelle[7]?

SÉLEUCUS

Amour, qui doit ici vaincre de vous ou d'elle?

ANTIOCHUS

L'amour, l'amour doit vaincre, et la triste amitié
Ne doit être à tous deux qu'un objet de pitié.
Un grand cœur cède un trône, et le cède avec gloire :
Cet effort de vertu couronne sa mémoire;
Mais lorsqu'un digne objet a pu nous enflammer,
Qui le cède est un lâche et ne sait pas aimer.
De tous deux Rodogune a charmé le courage;
Cessons par trop d'amour de lui faire un outrage :
Elle doit épouser, non pas vous, non pas moi,
Mais de moi, mais de vous, quiconque sera Roi.
La couronne entre nous flotte encore incertaine;
Mais sans incertitude elle doit être Reine.
Cependant, aveuglés dans notre vain projet,
Nous la faisons tous deux la femme d'un sujet !
Régnons : l'ambition ne peut être que belle,
Et pour elle quittée, et reprise pour elle;
Et ce trône où tous deux nous osions renoncer,
Souhaitons-le tous deux, afin de l'y placer :
C'est dans notre destin le seul conseil à prendre;
Nous pouvons nous en plaindre, et nous devons l'attendre.

SÉLEUCUS

Il faut encor plus faire : il faut qu'en ce grand jour
Notre amitié triomphe aussi bien que l'amour.
Ces deux sièges fameux de Thèbes et de Troie,
Qui mirent l'une en sang, l'autre aux flammes en proie,
N'eurent pour fondements à leurs maux infinis
Que ceux que contre nous le sort a réunis.
Il sème entre nous deux toute la jalousie
Qui dépeupla la Grèce et saccagea l'Asie :
Un même espoir du sceptre eſt permis à tous deux;
Pour la même beauté nous faisons mêmes vœux.
Thèbes périt pour l'un, Troie a brûlé pour l'autre.
Tout va choir en ma main ou tomber en la vôtre.
En vain notre amitié tâchait à partager;
Et si j'ose tout dire, un titre assez léger,
Un droit d'aînesse obscur, sur la foi d'une mère,
Va combler l'un de gloire et l'autre de misère.
Que de sujets de plainte en ce double intérêt
Aura le malheureux contre un si faible arrêt !
Que de sources de haine ! Hélas ! jugez le reſte :
Craignez-en avec moi l'événement funeſte,
Ou plutôt avec moi faites un digne effort
Pour armer votre cœur contre un si triſte sort.
Malgré l'éclat du trône et l'amour d'une femme,
Faisons si bien régner l'amitié sur notre âme,
Qu'étouffant dans leur perte un regret suborneur,
Dans le bonheur d'un frère on trouve son bonheur.
Ainsi ce qui jadis perdit Thèbes et Troie
Dans nos cœurs mieux unis ne versera que joie;
Ainsi notre amitié, triomphante à son tour,
Vaincra la jalousie en cédant à l'amour,
Et de notre deſtin bravant l'ordre barbare,
Trouvera des douceurs aux maux qu'il nous prépare.

ANTIOCHUS

Le pourrez-vous, mon frère?

SÉLEUCUS

Ah ! que vous me pressez !
Je le voudrais du moins, mon frère, et c'eſt assez;
Et ma raison sur moi gardera tant d'empire,
Que je désavouerai mon cœur s'il en soupire[8].

ANTIOCHUS

J'embrasse comme vous ces nobles sentiments;
Mais allons leur donner le secours des serments,
Afin qu'étant témoins de l'amitié jurée,
Les Dieux contre un tel coup assurent sa durée.

SÉLEUCUS

Allons, allons l'étreindre au pied de leurs autels
Par des liens sacrés et des nœuds immortels.

SCÈNE IV

LAONICE, TIMAGÈNE

LAONICE

Peut-on plus dignement mériter la couronne?

TIMAGÈNE

Je ne suis point surpris de ce qui vous étonne :
Confident de tous deux, prévoyant leur douleur,
J'ai prévu leur constance, et j'ai plaint leur malheur;
Mais, de grâce, achevez l'histoire commencée.

LAONICE

Pour la reprendre donc où nous l'avons laissée,
Les Parthes, au combat par les nôtres forcés,
Tantôt presque vainqueurs, tantôt presque enfoncés,
Sur l'une et l'autre armée, également heureuse,
Virent longtemps voler la victoire douteuse;
Mais la fortune enfin se tourna contre nous,
Si bien qu'Antiochus, percé de mille coups,
Près de tomber aux mains d'une troupe ennemie,
Lui voulut dérober les restes de sa vie,
Et préférant aux fers la gloire de périr,
Lui-même par sa main acheva de mourir.
La Reine ayant appris cette triste nouvelle,
En reçut tôt après une autre plus cruelle :
Que Nicanor vivait; que sur un faux rapport,
De ce premier époux elle avait cru la mort;
Que piqué jusqu'au vif contre son hyménée,

Son âme à l'imiter s'était déterminée,
Et que pour s'affranchir des fers de son vainqueur,
Il allait épouser la Princesse sa sœur.
C'eſt cette Rodogune, où l'un et l'autre frère
Trouve encor les appas qu'avait trouvés leur père.
La Reine envoie en vain pour se juſtifier :
On a beau la défendre, on a beau le prier,
On ne rencontre en lui qu'un juge inexorable;
Et son amour nouveau la veut croire coupable :
Son erreur eſt un crime, et pour l'en punir mieux,
Il veut même épouser Rodogune à ses yeux,
Arracher de son front le sacré diadème,
Pour ceindre une autre tête en sa présence même;
Soit qu'ainsi sa vengeance eût plus d'indignité,
Soit qu'ainsi cet hymen eût plus d'autorité,
Et qu'il assurât mieux par cette barbarie
Aux enfants qui naîtraient le trône de Syrie.
  Mais tandis qu'animé de colère et d'amour,
Il vient déshériter ses fils par son retour,
Et qu'un gros escadron de Parthes pleins de joie
Conduit ces deux amants et court comme à la proie,
La Reine, au désespoir de n'en rien obtenir,
Se résout de se perdre ou de le prévenir.
Elle oublie un mari qui veut cesser de l'être,
Qui ne veut plus la voir qu'en implacable maître,
Et changeant à regret son amour en horreur,
Elle abandonne tout à sa juſte fureur.
Elle-même leur dresse une embûche au passage,
Se mêle dans les coups, porte partout sa rage,
En pousse jusqu'au bout les furieux effets.
Que vous dirai-je enfin? les Parthes sont défaits;
Le Roi meurt, et, dit-on, par la main de la Reine;
Rodogune captive eſt livrée à sa haine.
Tous les maux qu'un esclave endure dans les fers,
Alors sans moi, mon frère, elle les eût soufferts.
La Reine, à la gêner prenant mille délices,
Ne commettait qu'à moi l'ordre de ses supplices;
Mais quoi que m'ordonnât cette âme toute en feu,
Je promettais beaucoup et j'exécutais peu.
Le Parthe cependant en jure la vengeance :
Sur nous à main armée il fond en diligence,
Nous surprend, nous assiège, et fait un tel effort,
Que la ville aux abois, on lui parle d'accord.

Il veut fermer l'oreille, enflé de l'avantage;
Mais voyant parmi nous Rodogune en otage,
Enfin il craint pour elle et nous daigne écouter;
Et c'eſt ce qu'aujourd'hui l'on doit exécuter.
La Reine de l'Égypte a rappelé nos princes
Pour remettre à l'aîné son trône et ses provinces.
Rodogune a paru, sortant de sa prison,
Comme un soleil levant dessus notre horizon.
Le Parthe a décampé, pressé par d'autres guerres
Contre l'Arménien qui ravage ses terres;
D'un ennemi cruel il s'eſt fait notre appui :
La paix finit la haine, et pour comble aujourd'hui,
Dois-je dire de bonne ou mauvaise fortune?
Nos deux princes tous deux adorent Rodogune.

TIMAGÈNE

Sitôt qu'ils ont paru tous deux en cette cour,
Ils ont vu Rodogune, et j'ai vu leur amour;
Mais comme étant rivaux nous les trouvons à plaindre,
Connaissant leur vertu, je n'en vois rien à craindre.
Pour vous qui gouvernez cet objet de leurs vœux...

LAONICE

Je n'ai point encor vu qu'elle aime aucun des deux...

TIMAGÈNE

Vous me trouvez mal propre à cette confidence,
Et peut-être à dessein je la vois qui s'avance.
Adieu : je dois au rang qu'elle eſt prête à tenir
Du moins la liberté de vous entretenir.

SCÈNE V

RODOGUNE, LAONICE

RODOGUNE

Je ne sais quel malheur aujourd'hui me menace,
Et coule dans ma joie une secrète glace :
Je tremble, Laonice, et te voulais parler,
Ou pour chasser ma crainte ou pour m'en consoler.

LAONICE

Quoi? Madame, en ce jour pour vous si plein de gloire?

RODOGUNE

Ce jour m'en promet tant que j'ai peine à tout croire :
La fortune me traite avec trop de respect,
Et le trône et l'hymen, tout me devient suspect.
L'hymen semble à mes yeux cacher quelque supplice,
Le trône sous mes pas creuser un précipice;
Je vois de nouveaux fers après les miens brisés,
Et je prends tous ces biens pour des maux déguisés :
En un mot, je crains tout de l'esprit de la Reine.

LAONICE

La paix qu'elle a jurée en a calmé la haine.

RODOGUNE

La haine entre les grands se calme rarement :
La paix souvent n'y sert que d'un amusement;
Et dans l'État où j'entre, à te parler sans feinte,
Elle a lieu de me craindre, et je crains cette crainte.
Non qu'enfin je ne donne au bien des deux États
Ce que j'ai dû de haine à de tels attentats :
J'oublie, et pleinement, toute mon aventure;
Mais une grande offense est de cette nature,
Que toujours son auteur impute à l'offensé
Un vif ressentiment dont il le croit blessé;
Et quoique en apparence on les réconcilie,
Il le craint, il le hait, et jamais ne s'y fie;
Et toujours alarmé de cette illusion,
Sitôt qu'il peut le perdre il prend l'occasion :
Telle est pour moi la Reine.

LAONICE

Ah! Madame, je jure
Que par ce faux soupçon vous lui faites injure :
Vous devez oublier un désespoir jaloux
Où força son courage un infidèle époux.
Si teinte de son sang et toute furieuse
Elle vous traita lors en rivale odieuse,
L'impétuosité d'un premier mouvement
Engageait sa vengeance à ce dur traitement;

Il fallait un prétexte à vaincre sa colère,
Il y fallait du temps; et pour ne vous rien taire,
Quand je me dispensais à lui mal obéir,
Quand en votre faveur je semblais la trahir,
Peut-être qu'en son cœur plus douce et repentie
Elle en dissimulait la meilleure partie;
Que se voyant tromper elle fermait les yeux,
Et qu'un peu de pitié la satisfaisait mieux.
A présent que l'amour succède à la colère,
Elle ne vous voit plus qu'avec des yeux de mère;
Et si de cet amour je la voyais sortir,
Je jure de nouveau de vous en avertir :
Vous savez comme quoi je vous suis toute acquise.
Le Roi souffrirait-il d'ailleurs quelque surprise?

RODOGUNE

Qui que ce soit des deux qu'on couronne aujourd'hui,
Elle sera sa mère, et pourra tout sur lui.

LAONICE

Qui que ce soit des deux, je sais qu'il vous adore :
Connaissant leur amour, pouvez-vous craindre encore?

RODOGUNE

Oui, je crains leur hymen, et d'être à l'un des deux.

LAONICE

Quoi? sont-ils des sujets indignes de vos feux?

RODOGUNE

Comme ils ont même sang avec pareil mérite,
Un avantage égal pour eux me sollicite;
Mais il eﬅ malaisé, dans cette égalité,
Qu'un esprit combattu ne penche d'un côté.
Il eﬅ des nœuds secrets, il eﬅ des sympathies
Dont par le doux rapport les âmes assorties
S'attachent l'une à l'autre et se laissent piquer
Par ce je ne sais quoi qu'on ne peut expliquer.
C'eﬅ par là que l'un d'eux obtient la préférence :
Je crois voir l'autre encore avec indifférence;
Mais cette indifférence eﬅ une aversion
Lorsque je la compare avec ma passion.
Étrange effet d'amour! incroyable chimère!

Je voudrais être à lui si je n'aimais son frère;
Et le plus grand des maux toutefois que je crains,
C'est que mon triste sort me livre entre ses mains.

LAONICE

Ne pourrais-je servir une si belle flamme?

RODOGUNE

Ne crois pas en tirer le secret de mon âme :
Quelque époux que le ciel veuille me destiner,
C'est à lui pleinement que je veux me donner.
De celui que je crains si je suis le partage,
Je saurai l'accepter avec même visage;
L'hymen me le rendra précieux à son tour,
Et le devoir fera ce qu'aurait fait l'amour,
Sans crainte qu'on reproche à mon humeur forcée
Qu'un autre qu'un mari règne sur ma pensée.

LAONICE

Vous craignez que ma foi vous l'ose reprocher?

RODOGUNE

Que ne puis-je à moi-même aussi bien le cacher?

LAONICE

Quoi que vous me cachiez, aisément je devine;
Et pour vous dire enfin ce que je m'imagine,
Le Prince...

RODOGUNE

Garde-toi de nommer mon vainqueur :
Ma rougeur trahirait les secrets de mon cœur,
Et je te voudrais mal de cette violence
Que ta dextérité ferait à mon silence;
Même de peur qu'un mot par hasard échappé
Te fasse voir ce cœur et quels traits l'ont frappé,
Je romps un entretien dont la suite me blesse.
Adieu; mais souviens-toi que c'est sur ta promesse
Que mon esprit reprend quelque tranquillité.

LAONICE

Madame, assurez-vous sur ma fidélité.

ACTE II

SCÈNE PREMIÈRE

CLÉOPÂTRE

SERMENTS fallacieux, salutaire contrainte,
Que m'imposa la force et qu'accepta ma crainte,
Heureux déguisements d'un immortel courroux,
Vains fantômes d'État, évanouissez-vous !
Si d'un péril pressant la terreur vous fit naître,
Avec ce péril même il vous faut disparaître,
Semblables à ces vœux dans l'orage formés,
Qu'efface un prompt oubli quand les flots sont calmés.
Et vous, qu'avec tant d'art cette feinte a voilée,
Recours des impuissants, haine dissimulée,
Digne vertu des Rois, noble secret de cour,
Éclatez, il est temps, et voici notre jour.
Montrons-nous toutes deux, non plus comme sujettes,
Mais telle que je suis et telle que vous êtes.
Le Parthe est éloigné, nous pouvons tout oser :
Nous n'avons rien à craindre et rien à déguiser;
Je hais, je règne encor. Laissons d'illustres marques
En quittant, s'il le faut, ce haut rang des monarques :
Faisons-en avec gloire un départ éclatant,
Et rendons-le funeste à celle qui l'attend.
C'est encor, c'est encor cette même ennemie
Qui cherchait ses honneurs dedans mon infamie,
Dont la haine à son tour croit me faire la loi,
Et régner par mon ordre et sur vous et sur moi.
Tu m'estimes bien lâche, imprudente rivale,
Si tu crois que mon cœur jusque-là se ravale,
Qu'il souffre qu'un hymen qu'on t'a promis en vain
Te mette ta vengeance et mon sceptre à la main.
Vois jusqu'où m'emporta l'amour du diadème,
Vois quel sang il me coûte, et tremble pour toi-même :
Tremble, te dis-je; et songe, en dépit du traité,
Que pour t'en faire un don je l'ai trop acheté.

SCÈNE II

CLÉOPÂTRE, LAONICE

CLÉOPÂTRE

Laonice, vois-tu que le peuple s'apprête
Au pompeux appareil de cette grande fête?

LAONICE

La joie en est publique, et les princes tous deux
Des Syriens ravis emportent tous les vœux :
L'un et l'autre fait voir un mérite si rare,
Que le souhait confus entre les deux s'égare;
Et ce qu'en quelques-uns on voit d'attachement
N'est qu'un faible ascendant d'un premier mouvement.
Ils penchent d'un côté, prêts à tomber de l'autre :
Leur choix pour s'affermir attend encor le vôtre;
Et de celui qu'ils font ils sont si peu jaloux,
Que votre secret su les réunira tous.

CLÉOPÂTRE

Sais-tu que mon secret n'est pas ce que l'on pense?

LAONICE

J'attends avec eux tous celui de leur naissance.

CLÉOPÂTRE

Pour un esprit de cour, et nourri chez les grands,
Tes yeux dans leurs secrets sont bien peu pénétrants.
Apprends, ma confidente, apprends à me connaître.
  Si je cache en quel rang le ciel les a fait naître,
Vois, vois que tant que l'ordre en demeure douteux,
Aucun des deux ne règne, et je règne pour eux :
Quoique ce soit un bien que l'un et l'autre attende,
De crainte de le perdre aucun ne le demande;
Cependant je possède, et leur droit incertain
Me laisse avec leur sort leur sceptre dans la main :
Voilà mon grand secret. Sais-tu par quel mystère
Je les laissais tous deux en dépôt chez mon frère?

LAONICE

J'ai cru qu'Antiochus les tenait éloignés
Pour jouir des États qu'il avait regagnés.

CLÉOPÂTRE

Il occupait leur trône et craignait leur présence,
Et cette juste crainte assurait ma puissance.
Mes ordres en étaient de point en point suivis,
Quand je le menaçais du retour de mes fils :
Voyant ce foudre prêt à suivre ma colère,
Quoi qu'il me plût oser, il n'osait me déplaire;
Et content malgré lui du vain titre de roi,
S'il régnait au lieu d'eux, ce n'était que sous moi.
Je te dirai bien plus : sans violence aucune
J'aurais vu Nicanor épouser Rodogune,
Si content de lui plaire et de me dédaigner,
Il eût vécu chez elle en me laissant régner.
Son retour me fâchait plus que son hyménée,
Et j'aurais pu l'aimer, s'il ne l'eût couronnée.
Tu vis comme il y fit des efforts superflus :
Je fis beaucoup alors, et ferais encor plus
S'il était quelque voie, infâme ou légitime,
Que m'enseignât la gloire, ou que m'ouvrît le crime,
Qui me pût conserver un bien que j'ai chéri
Jusqu'à verser pour lui tout le sang d'un mari.
Dans l'état pitoyable où m'en réduit la suite,
Délices de mon cœur, il faut que je te quitte :
On m'y force, il le faut; mais on verra quel fruit
En recevra bientôt celle qui m'y réduit.
L'amour que j'ai pour toi tourne en haine pour elle :
Autant que l'un fut grand, l'autre sera cruelle;
Et puisqu'en te perdant, j'ai sur qui m'en venger,
Ma perte est supportable, et mon mal est léger.

LAONICE

Quoi? vous parlez encor de vengeance et de haine
Pour celle dont vous-même allez faire une Reine!

CLÉOPÂTRE

Quoi? je ferais un roi pour être son époux,
Et m'exposer aux traits de son juste courroux!
N'apprendras-tu jamais, âme basse et grossière,

A voir par d'autres yeux que les yeux du vulgaire?
Toi qui connais ce peuple, et sais qu'aux champs de Mars
Lâchement d'une femme il suit les étendards;
Que sans Antiochus Tryphon m'eût dépouillée;
Que sous lui son ardeur fut soudain réveillée;
Ne saurais-tu juger que si je nomme un Roi,
C'est pour le commander, et combattre pour moi?
J'en ai le choix en main avec le droit d'aînesse;
Et puisqu'il en faut faire une aide à ma faiblesse,
Que la guerre sans lui ne peut se rallumer,
J'userai bien du droit que j'ai de le nommer.
On ne montera point au rang dont je dévale,
Qu'en épousant ma haine au lieu de ma rivale :
Ce n'est qu'en me vengeant qu'on me le peut ravir,
Et je ferai régner qui me voudra servir.

LAONICE

Je vous connaissais mal.

CLÉOPÂTRE

Connais-moi tout entière.
Quand je mis Rodogune en tes mains prisonnière,
Ce ne fut ni pitié ni respect de son rang
Qui m'arrêta le bras et conserva son sang.
La mort d'Antiochus me laissait sans armée,
Et d'une troupe en hâte à me suivre animée,
Beaucoup dans ma vengeance ayant fini leurs jours
M'exposaient à son frère et faible et sans secours.
Je me voyais perdue, à moins d'un tel otage :
Il vint, et sa fureur craignit pour ce cher gage;
Il m'imposa des lois, exigea des serments,
Et moi, j'accordai tout pour obtenir du temps.
Le temps est un trésor plus grand qu'on ne peut croire;
J'en obtins, et je crus obtenir la victoire.
J'ai pu reprendre haleine, et sous de faux apprêts...
Mais voici mes deux fils, que j'ai mandés exprès :
Écoute, et tu verras quel est cet hyménée
Où se doit terminer cette illustre journée.

SCÈNE III

CLÉOPÂTRE, ANTIOCHUS, SÉLEUCUS,
LAONICE

CLÉOPÂTRE.

Mes enfants, prenez place[9]. Enfin voici le jour
Si doux à mes souhaits, si cher à mon amour,
Où je puis voir briller sur une de vos têtes
Ce que j'ai conservé parmi tant de tempêtes,
Et vous remettre un bien, après tant de malheurs,
Qui m'a coûté pour vous tant de soins et de pleurs.
Il peut vous souvenir quelles furent mes larmes
Quand Tryphon me donna de si rudes alarmes,
Que pour ne vous pas voir exposés à ses coups,
Il fallut me résoudre à me priver de vous.
Quelles peines depuis, grands Dieux, n'ai-je souffertes !
Chaque jour redoubla mes douleurs et mes pertes.
Je vis votre royaume entre ces murs réduit;
Je crus mort votre père; et sur un si faux bruit
Le peuple mutiné voulut avoir un maître.
J'eus beau le nommer lâche, ingrat, parjure, traître,
Il fallut satisfaire à son brutal désir,
Et de peur qu'il en prît, il m'en fallut choisir.
Pour vous sauver l'État que n'eussé-je pu faire?
Je choisis un époux avec des yeux de mère,
Votre oncle Antiochus, et j'espérai qu'en lui
Votre trône tombant trouverait un appui;
Mais à peine son bras en relève la chute,
Que par lui de nouveau le sort me persécute :
Maître de votre État par sa valeur sauvé,
Il s'obstine à remplir ce trône relevé;
Qui lui parle de vous attire sa menace.
Il n'a défait Tryphon que pour prendre sa place;
Et de dépositaire et de libérateur,
Il s'érige en tyran et lâche usurpateur.
Sa main l'en a puni : pardonnons à son ombre;
Aussi bien en un seul voici des maux sans nombre.
  Nicanor votre père et mon premier époux...
Mais pourquoi lui donner encor des noms si doux,
Puisque l'ayant cru mort, il sembla ne revivre

Que pour s'en dépouiller afin de nous poursuivre?
Passons; je ne me puis souvenir sans trembler
Du coup dont j'empêchai qu'il nous pût accabler :
Je ne sais s'il eﬅ digne ou d'horreur ou d'eﬅime,
S'il plut aux Dieux ou non, s'il fut juﬅice ou crime;
Mais soit crime ou juﬅice, il eﬅ certain, mes fils,
Que mon amour pour vous fit tout ce que je fis :
Ni celui des grandeurs, ni celui de la vie
Ne jeta dans mon cœur cette aveugle furie.
J'étais lasse d'un trône où d'éternels malheurs
Me comblaient chaque jour de nouvelles douleurs.
Ma vie eﬅ presque usée, et ce reﬅe inutile
Chez mon frère avec vous trouvait un sûr asile;
Mais voir, après douze ans et de soins et de maux,
Un père vous ôter le fruit de mes travaux;
Mais voir votre couronne après lui deﬅinée
Aux enfants qui naîtraient d'un second hyménée !
A cette indignité je ne connus plus rien :
Je me crus tout permis pour garder votre bien.
Recevez donc, mes fils, de la main d'une mère
Un trône racheté par le malheur d'un père.
Je crus qu'il fit lui-même un crime en vous l'ôtant,
Et si j'en ai fait un en vous le rachetant,
Daigne du juﬅe ciel la bonté souveraine,
Vous en laissant le fruit, m'en réserver la peine,
Ne lancer que sur moi les foudres mérités,
Et n'épandre sur vous que des prospérités !

ANTIOCHUS

Jusques ici, Madame, aucun ne met en doute
Les longs et grands travaux que notre amour vous coûte,
Et nous croyons tenir des soins de cet amour
Ce doux espoir du trône aussi bien que le jour :
Le récit nous en charme, et nous fait mieux comprendre
Quelles grâces tous deux nous vous en devons rendre;
Mais afin qu'à jamais nous les puissions bénir,
Épargnez le dernier à notre souvenir :
Ce sont fatalités dont l'âme embarrassée
A plus qu'elle ne veut se voit souvent forcée.
Sur les noires couleurs d'un si triﬅe tableau
Il faut passer l'éponge ou tirer le rideau :
Un fils eﬅ criminel quand il les examine;
Et quelque suite enfin que le ciel y deﬅine,

J'en rejette l'idée, et crois qu'en ces malheurs
Le silence ou l'oubli nous sied mieux que les pleurs.
Nous attendons le sceptre avec même espérance;
Mais si nous l'attendons, c'eſt sans impatience.
Nous pouvons sans régner vivre tous deux contents :
C'eſt le fruit de vos soins, jouissez-en longtemps;
Il tombera sur nous quand vous en serez lasse :
Nous le recevrons lors de bien meilleure grâce;
Et l'accepter si tôt semble nous reprocher
De n'être revenus que pour vous l'arracher.

SÉLEUCUS

J'ajouterai, Madame, à ce qu'a dit mon frère,
Que bien qu'avec plaisir et l'un et l'autre espère,
L'ambition n'eſt pas notre plus grand désir.
Régnez, nous le verrons tous deux avec plaisir;
Et c'eſt bien la raison que pour tant de puissance
Nous vous rendions du moins un peu d'obéissance,
Et que celui de nous dont le ciel a fait choix
Sous votre illuſtre exemple apprenne l'art des rois.

CLÉOPÂTRE

Dites tout, mes enfants : vous fuyez la couronne,
Non que son trop d'éclat ou son poids vous étonne :
L'unique fondement de cette aversion,
C'eſt la honte attachée à sa possession.
Elle passe à vos yeux pour la même infamie,
S'il faut la partager avec notre ennemie,
Et qu'un indigne hymen la fasse retomber
Sur celle qui venait pour vous la dérober.
O nobles sentiments d'une âme généreuse !
O fils vraiment mes fils ! ô mère trop heureuse !
Le sort de votre père enfin eſt éclairci :
Il était innocent, et je puis l'être aussi;
Il vous aima toujours, et ne fut mauvais père
Que charmé par la sœur, ou forcé par le frère;
Et dans cette embuscade où son effort fut vain,
Rodogune, mes fils, le tua par ma main.
Ainsi de cet amour la fatale puissance
Vous coûte votre père, à moi mon innocence;
Et si ma main pour vous n'avait tout attenté,
L'effet de cet amour vous aurait tout coûté.
Ainsi vous me rendrez l'innocence et l'eſtime,

Lorsque vous punirez la cause de mon crime.
De cette même main qui vous a tout sauvé,
Dans son sang odieux je l'aurais bien lavé;
Mais comme vous aviez votre part aux offenses,
Je vous ai réservé votre part aux vengeances;
Et pour ne tenir plus en suspens vos esprits,
Si vous voulez régner, le trône est à ce prix.
Entre deux fils que j'aime avec même tendresse,
Embrasser ma querelle est le seul droit d'aînesse :
La mort de Rodogune en nommera l'aîné.
Quoi? vous montrez tous deux un visage étonné!
Redoutez-vous son frère? Après la paix infâme
Que même en la jurant je détestais dans l'âme,
J'ai fait lever des gens par des ordres secrets,
Qu'à vous suivre en tous lieux vous trouverez tous prêts;
Et tandis qu'il fait tête aux princes d'Arménie,
Nous pouvons sans péril briser sa tyrannie.
Qui vous fait donc pâlir à cette juste loi?
Est-ce pitié pour elle? est-ce haine pour moi?
Voulez-vous l'épouser afin qu'elle me brave,
Et mettre mon destin aux mains de mon esclave?
Vous ne répondez point! Allez, enfants ingrats,
Pour qui je crus en vain conserver ces États :
J'ai fait votre oncle roi, j'en ferai bien un autre;
Et mon nom peut encore ici plus que le vôtre.

SÉLEUCUS

Mais, Madame, voyez que pour premier exploit...

CLÉOPÂTRE

Mais que chacun de vous pense à ce qu'il me doit.
Je sais bien que le sang qu'à vos mains je demande
N'est pas le digne essai d'une valeur bien grande;
Mais si vous me devez et le sceptre et le jour,
Ce doit être envers moi le sceau de votre amour :
Sans ce gage ma haine à jamais s'en défie;
Ce n'est qu'en m'imitant que l'on me justifie.
Rien ne vous sert ici de faire les surpris :
Je vous le dis encor, le trône est à ce prix;
Je puis en disposer comme de ma conquête;
Point d'aîné, point de roi, qu'en m'apportant sa tête;
Et puisque mon seul choix vous y peut élever,
Pour jouir de mon crime il le faut achever.

SCÈNE IV

SÉLEUCUS, ANTIOCHUS

SÉLEUCUS

Est-il une constance à l'épreuve du foudre
Dont ce cruel arrêt met notre espoir en poudre?

ANTIOCHUS

Est-il un coup de foudre à comparer aux coups
Que ce cruel arrêt vient de lancer sur nous?

SÉLEUCUS

O haines, ô fureurs dignes d'une Mégère!
O femme, que je n'ose appeler encor mère!
Après que tes forfaits ont régné pleinement,
Ne saurais-tu souffrir qu'on règne innocemment?
Quels attraits penses-tu qu'ait pour nous la couronne,
S'il faut qu'un crime égal par ta main nous la donne?
Et de quelles horreurs nous doit-elle combler,
Si pour monter au trône il faut te ressembler?

ANTIOCHUS

Gardons plus de respect aux droits de la nature,
Et n'imputons qu'au sort notre triste aventure :
Nous le nommions cruel, mais il nous était doux
Quand il ne nous donnait à combattre que nous.
Confidents tout ensemble et rivaux l'un de l'autre,
Nous ne concevions point de mal pareil au nôtre;
Cependant à nous voir l'un de l'autre rivaux,
Nous ne concevions pas la moitié de nos maux.

SÉLEUCUS

Une douleur si sage et si respectueuse,
Ou n'est guère sensible ou guère impétueuse;
Et c'est en de tels maux avoir l'esprit bien fort
D'en connaître la cause et l'imputer au sort.
Pour moi, je sens les miens avec plus de faiblesse :
Plus leur cause m'est chère, et plus l'effet m'en blesse;
Non que pour m'en venger j'ose entreprendre rien :

Je donnerais encor tout mon sang pour le sien.
Je sais ce que je dois; mais dans cette contrainte,
Si je retiens mon bras, je laisse aller ma plainte;
Et j'estime qu'au point qu'elle nous a blessés,
Qui ne fait que s'en plaindre a du respect assez.
Voyez-vous bien quel est le ministère infâme
Qu'ose exiger de nous la haine d'une femme?
Voyez-vous qu'aspirant à des crimes nouveaux,
De deux princes ses fils elle fait ses bourreaux?
Si vous pouvez le voir, pouvez-vous vous en taire?

ANTIOCHUS

Je vois bien plus encor : je vois qu'elle est ma mère;
Et plus je vois son crime indigne de ce rang,
Plus je lui vois souiller la source de mon sang.
J'en sens de ma douleur croître la violence;
Mais ma confusion m'impose le silence,
Lorsque dans ses forfaits sur nos fronts imprimés
Je vois les traits honteux dont nous sommes formés.
Je tâche à cet objet d'être aveugle ou stupide :
J'ose me déguiser jusqu'à son parricide;
Je me cache à moi-même un excès de malheur
Où notre ignominie égale ma douleur;
Et détournant les yeux d'une mère cruelle,
J'impute tout au sort qui m'a fait naître d'elle.
Je conserve pourtant encore un peu d'espoir :
Elle est mère, et le sang a beaucoup de pouvoir;
Et le sort l'eût-il faite encor plus inhumaine,
Une larme d'un fils peut amollir sa haine.

SÉLEUCUS

Ah ! mon frère, l'amour n'est guère véhément
Pour des fils élevés dans un bannissement,
Et qu'ayant fait nourrir presque dans l'esclavage
Elle n'a rappelés que pour servir sa rage.
De ses pleurs tant vantés je découvre le fard :
Nous avons en son cœur, vous et moi, peu de part;
Elle fait bien sonner ce grand amour de mère,
Mais elle seule enfin s'aime et se considère;
Et quoi que nous étale un langage si doux,
Elle a tout fait pour elle, et n'a rien fait pour nous.
Ce n'est qu'un faux amour que la haine domine;
Nous ayant embrassés, elle nous assassine,

En veut au cher objet dont nous sommes épris,
Nous demande son sang, met le trône à ce prix.
Ce n'est plus de sa main qu'il nous le faut attendre :
Il est, il est à nous, si nous osons le prendre.
Notre révolte ici n'a rien que d'innocent :
Il est à l'un de nous, si l'autre le consent;
Régnons, et son courroux ne sera que faiblesse;
C'est l'unique moyen de sauver la Princesse.
Allons la voir, mon frère, et demeurons unis :
C'est l'unique moyen de voir nos maux finis.
Je forme un beau dessein, que son amour m'inspire;
Mais il faut qu'avec lui notre union conspire :
Notre amour, aujourd'hui si digne de pitié,
Ne saurait triompher que par notre amitié.

ANTIOCHUS

Cet avertissement marque une défiance
Que la mienne pour vous souffre avec patience.
Allons, et soyez sûr que même le trépas
Ne peut rompre des nœuds que l'amour ne rompt pas.

ACTE III

SCÈNE PREMIÈRE

RODOGUNE, ORONTE, LAONICE

RODOGUNE

VOILA comme l'amour succède à la colère,
Comme elle ne me voit qu'avec des yeux de mère,
Comme elle aime la paix, comme elle fait un roi,
Et comme elle use enfin de ses fils et de moi.
Et tantôt mes soupçons lui faisaient une offense?
Elle n'avait rien fait qu'en sa juste défense?
Lorsque tu la trompais elle fermait les yeux?
Ah! que ma défiance en jugeait beaucoup mieux!
Tu le vois, Laonice.

LAONICE

Et vous voyez, Madame,
Quelle fidélité vous conserve mon âme,
Et qu'ayant reconnu sa haine et mon erreur,
Le cœur gros de soupirs et frémissant d'horreur,
Je romps une foi due aux secrets de ma reine,
Et vous viens découvrir mon erreur et sa haine.

RODOGUNE

Cet avis salutaire est l'unique secours
A qui je crois devoir le reste de mes jours;
Mais ce n'est pas assez de m'avoir avertie :
Il faut de ces périls m'aplanir la sortie;
Il faut que tes conseils m'aident à repousser...

LAONICE

Madame, au nom des Dieux, veuillez m'en dispenser :
C'est assez que pour vous je lui sois infidèle,
Sans m'engager encore à des conseils contre elle.
Oronte est avec vous, qui, comme ambassadeur,
Devait de cet hymen honorer la splendeur;

Comme c'est en ses mains que le Roi votre frère
A déposé le soin d'une tête si chère,
Je vous laisse avec lui pour en délibérer :
Quoi que vous résolviez, laissez-moi l'ignorer.
Au reste, assurez-vous de l'amour des deux princes :
Plutôt que de vous perdre ils perdront leurs provinces;
Mais je ne réponds pas que ce cœur inhumain
Ne veuille à leur refus s'armer d'une autre main.
Je vous parle en tremblant : si j'étais ici vue,
Votre péril croîtrait, et je serais perdue.
Fuyez, grande princesse, et souffrez cet adieu.

RODOGUNE

Va, je reconnaîtrai ce service en son lieu.

SCÈNE II

RODOGUNE, ORONTE

RODOGUNE

Que ferons-nous, Oronte, en ce péril extrême,
Où l'on fait de mon sang le prix d'un diadème?
Fuirons-nous chez mon frère? attendrons-nous la mort,
Ou ferons-nous contre elle un généreux effort?

ORONTE

Notre fuite, Madame, est assez difficile :
J'ai vu des gens de guerre épandus par la ville.
Si l'on veut votre perte, on vous fait observer;
Ou s'il vous est permis encor de vous sauver,
L'avis de Laonice est sans doute une adresse :
Feignant de vous servir elle sert sa maîtresse.
La Reine, qui surtout craint de vous voir régner,
Vous donne ces terreurs pour vous faire éloigner;
Et pour rompre un hymen qu'avec peine elle endure,
Elle en veut à vous-même imputer la rupture.
Elle obtiendra par vous le but de ses souhaits,
Et vous accusera de violer la paix;
Et le Roi, plus piqué contre vous que contre elle,
Vous voyant lui porter une guerre nouvelle,
Blâmera vos frayeurs et nos légèretés,

D'avoir osé douter de la foi des traités;
Et peut-être, pressé des guerres d'Arménie,
Vous laissera moquée, et la Reine impunie.
A ces honteux moyens gardez de recourir :
C'eſt ici qu'il vous faut ou régner ou périr.
Le ciel pour vous ailleurs n'a point fait de couronne,
Et l'on s'en rend indigne alors qu'on l'abandonne.

RODOGUNE

Ah ! que de vos conseils j'aimerais la vigueur,
Si nous avions la force égale à ce grand cœur !
Mais pourrons-nous braver une Reine en colère
Avec ce peu de gens que m'a laissés mon frère?

ORONTE

J'aurais perdu l'esprit si j'osais me vanter
Qu'avec ce peu de gens nous puissions résiſter :
Nous mourrons à vos pieds, c'eſt toute l'assiſtance
Que vous peut en ces lieux offrir notre impuissance;
Mais pouvez-vous trembler quand dans ces mêmes lieux
Vous portez le grand maître et des rois et des Dieux?
L'Amour fera lui seul tout ce qu'il vous faut faire.
Faites-vous un rempart des fils contre la mère;
Ménagez bien leur flamme, ils voudront tout pour vous;
Et ces aſtres naissants sont adorés de tous.
Quoi que puisse en ces lieux une reine cruelle,
Pouvant tout sur ses fils, vous y pouvez plus qu'elle.
Cependant trouvez bon qu'en ces extrémités
Je tâche à rassembler nos Parthes écartés :
Ils sont peu, mais vaillants, et peuvent de sa rage
Empêcher la surprise et le premier outrage.
Craignez moins, et surtout, Madame, en ce grand jour,
Si vous voulez régner, faites régner l'Amour.

SCÈNE III

RODOGUNE

Quoi? je pourrais descendre à ce lâche artifice
D'aller de mes amants mendier le service,
Et sous l'indigne appas d'un coup d'œil affété,
J'irais jusqu'en leur cœur chercher ma sûreté !

Celles de ma naissance ont horreur des bassesses;
Leur sang tout généreux hait ces molles adresses.
Quel que soit le secours qu'ils me puissent offrir,
Je croirai faire assez de le daigner souffrir :
Je verrai leur amour, j'éprouverai sa force,
Sans flatter leurs désirs, sans leur jeter d'amorce;
Et s'il eſt assez fort pour me servir d'appui,
Je le ferai régner, mais en régnant sur lui.
Sentiments étouffés de colère et de haine,
Rallumez vos flambeaux à celles de la Reine,
Et d'un oubli contraint rompez la dure loi,
Pour rendre enfin juſtice aux mânes d'un grand roi;
Rapportez à mes yeux son image sanglante,
D'amour et de fureur encore étincelante,
Telle que je le vis, quand tout percé de coups
Il me cria : «Vengeance ! Adieu : je meurs pour vous ! »
Chère ombre, hélas ! bien loin de l'avoir poursuivie,
J'allais baiser la main qui t'arracha la vie,
Rendre un respect de fille à qui versa ton sang;
Mais pardonne au devoir que m'impose mon rang :
Plus la haute naissance approche des couronnes,
Plus cette grandeur même asservit nos personnes;
Nous n'avons point de cœur pour aimer ni haïr :
Toutes nos passions ne savent qu'obéir.
Après avoir armé pour venger cet outrage,
D'une paix mal conçue on m'a faite le gage;
Et moi, fermant les yeux sur ce noir attentat,
Je suivais mon deſtin en victime d'État.
Mais aujourd'hui qu'on voit cette main parricide,
Des reſtes de ta vie insolemment avide,
Vouloir encor percer ce sein infortuné,
Pour y chercher le cœur que tu m'avais donné,
De la paix qu'elle rompt je ne suis plus le gage :
Je brise avec honneur mon illuſtre esclavage;
J'ose reprendre un cœur pour aimer et haïr,
Et ce n'eſt plus qu'à toi que je veux obéir.
Le consentiras-tu cet effort sur ma flamme,
Toi, son vivant portrait, que j'adore dans l'âme,
Cher Prince, dont je n'ose en mes plus doux souhaits
Fier encor le nom aux murs de ce palais?
Je sais quelles seront tes douleurs et tes craintes :
Je vois déjà tes maux, j'entends déjà tes plaintes;
Mais pardonne aux devoirs qu'exige enfin un roi

A qui tu dois le jour qu'il a perdu pour moi.
J'aurai mêmes douleurs, j'aurai mêmes alarmes;
S'il t'en coûte un soupir, j'en verserai des larmes.
Mais, Dieux ! que je me trouble en les voyant tous deux !
Amour, qui me confonds, cache du moins tes feux;
Et content de mon cœur dont je te fais le maître,
Dans mes regards surpris garde-toi de paraître.

SCÈNE IV

ANTIOCHUS, SÉLEUCUS, RODOGUNE

ANTIOCHUS

Ne vous offensez pas, Princesse, de nous voir
De vos yeux à vous-même expliquer le pouvoir.
Ce n'eſt pas d'aujourd'hui que nos cœurs en soupirent :
A vos premiers regards tous deux ils se rendirent;
Mais un profond respect nous fit taire et brûler,
Et ce même respect nous force de parler.
L'heureux moment approche où votre deſtinée
Semble être aucunement à la nôtre enchaînée,
Puisque d'un droit d'aînesse incertain parmi nous
La nôtre attend un sceptre et la vôtre un époux.
C'eſt trop d'indignité que notre souveraine
De l'un de ses captifs tienne le nom de reine;
Notre amour s'en offense, et changeant cette loi,
Remet à notre reine à nous choisir un roi.
Ne vous abaissez plus à suivre la couronne :
Donnez-la, sans souffrir qu'avec elle on vous donne;
Réglez notre deſtin, qu'ont mal réglé les Dieux :
Notre seul droit d'aînesse eſt de plaire à vos yeux;
L'ardeur qu'allume en nous une flamme si pure
Préfère votre choix au choix de la nature,
Et vient sacrifier à votre élection
Toute notre espérance et notre ambition.
Prononcez donc, Madame, et faites un monarque :
Nous céderons sans honte à cette illuſtre marque;
Et celui qui perdra votre divin objet
Demeurera du moins votre premier sujet :
Son amour immortel saura toujours lui dire
Que ce rang près de vous vaut ailleurs un empire;

Il y mettra sa gloire, et dans un tel malheur,
L'heur de vous obéir flattera sa douleur.

RODOGUNE

Princes, je dois beaucoup à cette déférence
De votre ambition et de votre espérance;
Et j'en recevrais l'offre avec quelque plaisir,
Si celles de mon rang avaient droit de choisir.
Comme sans leur avis les rois disposent d'elles
Pour affermir leur trône ou finir leurs querelles,
Le destin des États est arbitre du leur,
Et l'ordre des traités règle tout dans leur cœur.
C'est lui que suit le mien, et non pas la couronne :
J'aimerai l'un de vous, parce qu'il me l'ordonne;
Du secret révélé j'en prendrai le pouvoir,
Et mon amour pour naître attendra mon devoir.
N'attendez rien de plus, ou votre attente est vaine.
Le choix que vous m'offrez appartient à la Reine;
J'entreprendrais sur elle à l'accepter de vous.
Peut-être on vous a tu jusqu'où va son courroux;
Mais je dois par épreuve assez bien le connaître
Pour fuir l'occasion de le faire renaître.
Que n'en ai-je souffert, et que n'a-t-elle osé?
Je veux croire avec vous que tout est apaisé;
Mais craignez avec moi que ce choix ne ranime
Cette haine mourante à quelque nouveau crime :
Pardonnez-moi ce mot qui viole un oubli
Que la paix entre nous doit avoir établi.
Le feu qui semble éteint souvent dort sous la cendre :
Qui l'ose réveiller peut s'en laisser surprendre;
Et je mériterais qu'il me pût consumer,
Si je lui fournissais de quoi se rallumer.

SÉLEUCUS

Pouvez-vous redouter sa haine renaissante,
S'il est en votre main de la rendre impuissante?
Faites un roi, Madame, et régnez avec lui :
Son courroux désarmé demeure sans appui,
Et toutes ses fureurs sans effet rallumées
Ne pousseront en l'air que de vaines fumées.
Mais a-t-elle intérêt au choix que vous ferez,
Pour en craindre les maux que vous vous figurez?
La couronne est à nous; et sans lui faire injure,

Sans manquer de respeċt aux droits de la nature,
Chacun de nous à l'autre en peut céder sa part,
Et rendre à votre choix ce qu'il doit au hasard.
Qu'un si faible scrupule en notre faveur cesse :
Votre inclination vaut bien un droit d'aînesse,
Dont vous seriez traitée avec trop de rigueur,
S'il se trouvait contraire aux vœux de votre cœur.
On vous applaudirait quand vous seriez à plaindre;
Pour vous faire régner ce serait vous contraindre,
Vous donner la couronne en vous tyrannisant,
Et verser du poison sur ce noble présent.
Au nom de ce beau feu qui tous deux nous consume,
Princesse, à notre espoir ôtez cette amertume;
Et permettez que l'heur qui suivra votre époux
Se puisse redoubler à le tenir de vous.

RODOGUNE

Ce beau feu vous aveugle autant comme il vous brûle;
Et, tâchant d'avancer, son effort vous recule.
Vous croyez que ce choix que l'un et l'autre attend
Pourra faire un heureux sans faire un mécontent;
Et moi, quelque vertu que votre cœur prépare,
Je crains d'en faire deux si le mien se déclare;
Non que de l'un et l'autre il dédaigne les vœux :
Je tiendrais à bonheur d'être à l'un de vous deux;
Mais souffrez que je suive enfin ce qu'on m'ordonne :
Je me mettrai trop haut s'il faut que je me donne;
Quoique aisément je cède aux ordres de mon Roi,
Il n'est pas bien aisé de m'obtenir de moi.
Savez-vous quels devoirs, quels travaux, quels services,
Voudront de mon orgueil exiger les caprices ?
Par quels degrés de gloire on me peut mériter?
En quels affreux périls il faudra vous jeter?
Ce cœur vous est acquis après le diadème,
Princes; mais gardez-vous de le rendre à lui-même.
Vous y renoncerez peut-être pour jamais,
Quand je vous aurai dit à quel prix je le mets.

SÉLEUCUS

Quels seront les devoirs, quels travaux, quels services
Dont nous ne vous fassions d'amoureux sacrifices?
Et quels affreux périls pourrons-nous redouter,
Si c'est par ces degrés qu'on peut vous mériter?

ANTIOCHUS

Princesse, ouvrez ce cœur, et jugez mieux du nôtre;
Jugez mieux du beau feu qui brûle l'un et l'autre,
Et dites hautement à quel prix votre choix
Veut faire l'un de nous le plus heureux des rois.

RODOGUNE

Princes, le voulez-vous?

ANTIOCHUS

C'est notre unique envie.

RODOGUNE

Je verrai cette ardeur d'un repentir suivie.

SÉLEUCUS

Avant ce repentir tous deux nous périrons.

RODOGUNE

Enfin vous le voulez?

SÉLEUCUS

Nous vous en conjurons.

RODOGUNE

Eh bien donc! il est temps de me faire connaître.
J'obéis à mon roi, puisqu'un de vous doit l'être;
Mais quand j'aurai parlé, si vous vous en plaignez,
J'atteste tous les Dieux que vous m'y contraignez,
Et que c'est malgré moi qu'à moi-même rendue
J'écoute une chaleur qui m'était défendue;
Qu'un devoir rappelé me rend un souvenir
Que la foi des traités ne doit plus retenir.
Tremblez, Princes, tremblez au nom de votre père :
Il est mort, et pour moi, par les mains d'une mère.
Je l'avais oublié, sujette à d'autres lois;
Mais libre, je lui rends enfin ce que je dois.
C'est à vous de choisir mon amour ou ma haine.
J'aime les fils du Roi, je hais ceux de la Reine :
Réglez-vous là-dessus; et sans plus me presser,
Voyez auquel des deux vous voulez renoncer.
Il faut prendre parti, mon choix suivra le vôtre :
Je respecte autant l'un que je déteste l'autre;

Mais ce que j'aime en vous du sang de ce grand roi,
S'il n'eſt digne de lui, n'eſt pas digne de moi.
Ce sang que vous portez, ce trône qu'il vous laisse,
Valent bien que pour lui votre cœur s'intéresse :
Votre gloire le veut, l'amour vous le prescrit.
Qui peut contre elle et lui soulever votre esprit?
Si vous leur préférez une mère cruelle,
Soyez cruels, ingrats, parricides comme elle.
Vous devez la punir, si vous la condamnez;
Vous devez l'imiter, si vous la soutenez.
Quoi? cette ardeur s'éteint ! l'un et l'autre soupire !
J'avais su le prévoir, j'avais su le prédire...

ANTIOCHUS

Princesse...

RODOGUNE

Il n'eſt plus temps, le mot en eſt lâché.
Quand j'ai voulu me taire, en vain je l'ai tâché.
Appelez ce devoir haine, rigueur, colère :
Pour gagner Rodogune il faut venger un père;
Je me donne à ce prix : osez me mériter,
Et voyez qui de vous daignera m'accepter.
Adieu, Princes.

SCÈNE V

ANTIOCHUS, SÉLEUCUS

ANTIOCHUS

Hélas ! c'eſt donc ainsi qu'on traite
Les plus profonds respeɕts d'une amour si parfaite !

SÉLEUCUS

Elle nous fuit, mon frère, après cette rigueur.

ANTIOCHUS

Elle fuit, mais en Parthe, en nous perçant le cœur.

SÉLEUCUS

Que le ciel eſt injuſte ! Une âme si cruelle
Méritait notre mère, et devait naître d'elle.

ANTIOCHUS

Plaignons-nous sans blasphème.

SÉLEUCUS

Ah! que vous me gênez
Par cette retenue où vous vous obstinez!
Faut-il encor régner? faut-il l'aimer encore?

ANTIOCHUS

Il faut plus de respect pour celle qu'on adore.

SÉLEUCUS

C'est ou d'elle ou du trône être ardemment épris,
Que vouloir ou l'aimer ou régner à ce prix.

ANTIOCHUS

C'est et d'elle et de lui tenir bien peu de compte,
Que faire une révolte et si pleine et si prompte.

SÉLEUCUS

Lorsque l'obéissance a tant d'impiété,
La révolte devient une nécessité.

ANTIOCHUS

La révolte, mon frère, est bien précipitée,
Quand la loi qu'elle rompt peut être rétractée;
Et c'est à nos désirs trop de témérité
De vouloir de tels biens avec facilité :
Le ciel par les travaux veut qu'on monte à la gloire;
Pour gagner un triomphe il faut une victoire.
Mais que je tâche en vain de flatter nos tourments!
Nos malheurs sont plus forts que ces déguisements.
Leur excès à mes yeux paraît un noir abîme
Où la haine s'apprête à couronner le crime,
Où la gloire est sans nom, la vertu sans honneur,
Où sans un parricide il n'est point de bonheur;
Et voyant de ces maux l'épouvantable image,
Je me sens affaiblir quand je vous encourage;
Je frémis, je chancelle, et mon cœur abattu
Suit tantôt sa douleur, et tantôt sa vertu.
Mon frère, pardonnez à des discours sans suite,
Qui font trop voir le trouble où mon âme est réduite.

SÉLEUCUS

J'en ferais comme vous, si mon esprit troublé
Ne secouait le joug dont il eśt accablé.
Dans mon ambition, dans l'ardeur de ma flamme,
Je vois ce qu'eśt un trône, et ce qu'eśt une femme;
Et jugeant par leur prix de leur possession,
J'éteins enfin ma flamme et mon ambition;
Et je vous céderais l'un et l'autre avec joie,
Si dans la liberté que le ciel me renvoie,
La crainte de vous faire un funeśte présent
Ne me jetait dans l'âme un remords trop cuisant.
Dérobons-nous, mon frère, à ces âmes cruelles,
Et laissons-les sans nous achever leurs querelles.

ANTIOCHUS

Comme j'aime beaucoup, j'espère encore un peu :
L'espoir ne peut s'éteindre où brûle tant de feu;
Et son reśte confus me rend quelques lumières
Pour juger mieux que vous de ces âmes si fières.
Croyez-moi, l'une et l'autre a redouté nos pleurs :
Leur fuite à nos soupirs a dérobé leurs cœurs;
Et si tantôt leur haine eût attendu nos larmes,
Leur haine à nos douleurs aurait rendu les armes.

SÉLEUCUS

Pleurez donc à leurs yeux, gémissez, soupirez,
Et je craindrai pour vous ce que vous espérez.
Quoiqu'en votre faveur vos pleurs obtiennent d'elles,
Il vous faudra parer leurs haines mutuelles;
Sauver l'une de l'autre; et peut-être leurs coups,
Vous trouvant au milieu, ne perceront que vous :
C'eśt ce qu'il faut pleurer. Ni maîtresse ni mère
N'ont plus de choix ici ni de lois à nous faire :
Quoi que leur rage exige ou de vous ou de moi,
Rodogune eśt à vous, puisque je vous fais Roi.
Épargnez vos soupirs près de l'une et de l'autre.
J'ai trouvé mon bonheur, saisissez-vous du vôtre :
Je n'en suis point jaloux; et ma triśte amitié
Ne le verra jamais que d'un œil de pitié.

SCÈNE VI

ANTIOCHUS

Que je serais heureux si je n'aimais un frère!
Lorsqu'il ne veut pas voir le mal qu'il se veut faire,
Mon amitié s'oppose à son aveuglement :
Elle agira pour vous, mon frère, également,
Elle n'abusera point de cette violence
Que l'indignation fait à votre espérance.
La pesanteur du coup souvent nous étourdit :
On le croit repoussé quand il s'approfondit;
Et quoi qu'un juste orgueil sur l'heure persuade,
Qui ne sent point son mal est d'autant plus malade :
Ces ombres de santé cachent mille poisons,
Et la mort suit de près ces fausses guérisons.
Daignent les justes Dieux rendre vain ce présage!
Cependant allons voir si nous vaincrons l'orage,
Et si contre l'effort d'un si puissant courroux
La nature et l'amour voudront parler pour nous.

ACTE IV

SCÈNE PREMIÈRE

ANTIOCHUS, RODOGUNE

RODOGUNE

PRINCE, qu'ai-je entendu? parce que je soupire,
Vous présumez que j'aime, et vous m'osez le dire !
Est-ce un frère, est-ce vous dont la témérité
S'imagine...

ANTIOCHUS

Apaisez ce courage irrité,
Princesse; aucun de nous ne serait téméraire
Jusqu'à s'imaginer qu'il eût l'heur de vous plaire :
Je vois votre mérite et le peu que je vaux,
Et ce rival si cher connaît mieux ses défauts.
Mais si tantôt ce cœur parlait par votre bouche,
Il veut que nous croyions qu'un peu d'amour le touche,
Et qu'il daigne écouter quelques-uns de nos vœux,
Puisqu'il tient à bonheur d'être à l'un de nous deux.
Si c'est présomption de croire ce miracle,
C'est une impiété de douter de l'oracle,
Et mériter les maux où vous nous condamnez,
Qu'éteindre un bel espoir que vous nous ordonnez.
Princesse, au nom des Dieux, au nom de cette flamme...

RODOGUNE

Un mot ne fait pas voir jusques au fond d'une âme;
Et votre espoir trop prompt prend trop de vanité
Des termes obligeants de ma civilité.
Je l'ai dit, il est vrai; mais quoi qu'il en puisse être,
Méritez cet amour que vous voulez connaître.
Lorsque j'ai soupiré, ce n'était pas pour vous;
J'ai donné ces soupirs aux mânes d'un époux;
Et ce sont les effets du souvenir fidèle

Que sa mort à toute heure en mon âme rappelle.
Princes, soyez ses fils, et prenez son parti.

ANTIOCHUS

Recevez donc son cœur en nous deux réparti;
Ce cœur qu'un saint amour rangea sous votre empire,
Ce cœur pour qui le vôtre à tous moments soupire,
Ce cœur, en vous aimant indignement percé,
Reprend pour vous aimer le sang qu'il a versé;
Il le reprend en nous, il revit, il vous aime,
Et montre, en vous aimant, qu'il est encor le même.
Ah! Princesse, en l'état où le sort nous a mis,
Pouvons-nous mieux montrer que nous sommes ses fils?

RODOGUNE

Si c'est son cœur en vous qui revit et qui m'aime,
Faites ce qu'il ferait s'il vivait en lui-même;
A ce cœur qu'il vous laisse osez prêter un bras :
Pouvez-vous le porter et ne l'écouter pas?
S'il vous explique mal ce qu'il en doit attendre,
Il emprunte ma voix pour se mieux faire entendre.
Une seconde fois il vous le dit par moi :
Prince, il faut le venger.

ANTIOCHUS

J'accepte cette loi.
Nommez les assassins, et j'y cours.

RODOGUNE

Quel mystère
Vous fait, en l'acceptant, méconnaître une mère?

ANTIOCHUS

Ah! si vous ne voulez voir finir nos destins,
Nommez d'autres vengeurs ou d'autres assassins.

RODOGUNE

Ah! je vois trop régner son parti dans votre âme :
Prince, vous le prenez.

ANTIOCHUS

Oui, je le prends, Madame;
Et j'apporte à vos pieds le plus pur de son sang,

Que la nature enferme en ce malheureux flanc.
Satisfaites vous-même à cette voix secrète
Dont la vôtre envers nous daigne être l'interprète :
Exécutez son ordre, et hâtez-vous sur moi
De punir une reine et de venger un roi[10];
Mais quitte par ma mort d'un devoir si sévère,
Écoutez-en un autre en faveur de mon frère.
De deux Princes unis à soupirer pour vous
Prenez l'un pour victime et l'autre pour époux;
Punissez un des fils des crimes de la mère,
Mais payez l'autre aussi des services du père,
Et laissez un exemple à la postérité
Et de rigueur entière et d'entière équité.
Quoi? n'écouterez-vous ni l'amour ni la haine?
Ne pourrai-je obtenir ni salaire ni peine?
Ce cœur qui vous adore et que vous dédaignez...

RODOGUNE

Hélas ! Prince.

ANTIOCHUS

Est-ce encor le Roi que vous plaignez?
Ce soupir ne va-t-il que vers l'ombre d'un père?

RODOGUNE

Allez, ou pour le moins rappelez votre frère :
Le combat pour mon âme était moins dangereux
Lorsque je vous avais à combattre tous deux :
Vous êtes plus fort seul que vous n'étiez ensemble;
Je vous bravais tantôt, et maintenant je tremble.
J'aime; n'abusez pas, Prince, de mon secret :
Au milieu de ma haine il m'échappe à regret;
Mais enfin il m'échappe, et cette retenue
Ne peut plus soutenir l'effort de votre vue :
Oui, j'aime un de vous deux malgré ce grand courroux,
Et ce dernier soupir dit assez que c'est vous.
Un rigoureux devoir à cet amour s'oppose.
Ne m'en accusez point, vous en êtes la cause;
Vous l'avez fait renaître en me pressant d'un choix
Qui rompt de vos traités les favorables lois.
D'un père mort pour moi voyez le sort étrange :
Si vous me laissez libre, il faut que je le venge;
Et mes feux dans mon âme ont beau s'en mutiner,

Ce n'eſt qu'à ce prix seul que je puis me donner;
Mais ce n'eſt pas de vous qu'il faut que je l'attende;
Votre refus eſt juſte autant que ma demande :
A force de respect votre amour s'eſt trahi.
Je voudrais vous haïr s'il m'avait obéi;
Et je n'eſtime pas l'honneur d'une vengeance
Jusqu'à vouloir d'un crime être la récompense.
Rentrons donc sous les lois que m'impose la paix,
Puisque m'en affranchir c'eſt vous perdre à jamais.
Prince, en votre faveur je ne puis davantage :
L'orgueil de ma naissance enfle encor mon courage,
Et quelque grand pouvoir que l'amour ait sur moi,
Je n'oublierai jamais que je me dois un roi.
Oui, malgré mon amour, j'attendrai d'une mère
Que le trône me donne ou vous ou votre frère.
Attendant son secret, vous aurez mes désirs,
Et s'il le fait régner, vous aurez mes soupirs :
C'eſt tout ce qu'à mes feux ma gloire peut permettre,
Et tout ce qu'à vos feux les miens osent promettre.

ANTIOCHUS

Que voudrais-je de plus? son bonheur eſt le mien.
Rendez heureux ce frère, et je ne perdrai rien :
L'amitié le consent, si l'amour l'appréhende;
Je bénirai le ciel d'une perte si grande;
Et quittant les douceurs de cet espoir flottant,
Je mourrai de douleur, mais je mourrai content.

RODOGUNE

Et moi, si mon deſtin entre ses mains me livre,
Pour un autre que vous s'il m'ordonne de vivre,
Mon amour... Mais adieu : mon esprit se confond.
Prince, si votre flamme à la mienne répond,
Si vous n'êtes ingrat à ce cœur qui vous aime,
Ne me revoyez point qu'avec le diadème.

SCÈNE II

ANTIOCHUS

Les plus doux de mes vœux enfin sont exaucés :
Tu viens de vaincre, amour; mais ce n'eſt pas assez.

Si tu veux triompher en cette conjoncture,
Après avoir vaincu, fais vaincre la nature;
Et prête-lui pour nous ces tendres sentiments
Que ton ardeur inspire aux cœurs des vrais amants,
Cette pitié qui force, et ces dignes faiblesses
Dont la vigueur détruit les fureurs vengeresses.
Voici la Reine. Amour, nature, justes Dieux,
Faites-la-moi fléchir ou mourir à ses yeux.

SCÈNE III

CLÉOPÂTRE, ANTIOCHUS, LAONICE

CLÉOPÂTRE

Eh bien ! Antiochus, vous dois-je la couronne?

ANTIOCHUS

Madame, vous savez si le ciel me la donne.

CLÉOPÂTRE

Vous savez mieux que moi si vous la méritez.

ANTIOCHUS

Je sais que je péris si vous ne m'écoutez.

CLÉOPÂTRE

Un peu trop lent peut-être à servir ma colère,
Vous vous êtes laissé prévenir par un frère?
Il a su me venger quand vous délibériez,
Et je dois à son bras ce que vous espériez?
Je vous en plains, mon fils, ce malheur est extrême :
C'est périr en effet que perdre un diadème.
Je n'y sais qu'un remède; encore est-il fâcheux,
Étonnant, incertain, et triste pour tous deux;
Je périrais moi-même avant que de le dire;
Mais enfin on perd tout quand on perd un empire.

ANTIOCHUS

Le remède à nos maux est tout en votre main,
Et n'a rien de fâcheux, d'étonnant, d'incertain;

Votre seule colère a fait notre infortune.
Nous perdons tout, Madame, en perdant Rodogune :
Nous l'adorons tous deux; jugez en quels tourments
Nous jette la rigueur de vos commandements.
L'aveu de cet amour sans doute vous offense;
Mais enfin nos malheurs croissent par le silence,
Et votre cœur, qu'aveugle un peu d'inimitié,
S'il ignore nos maux, n'en peut prendre pitié :
Au point où je les vois, c'en est le seul remède.

CLÉOPÂTRE

Quelle aveugle fureur vous-même vous possède?
Avez-vous oublié que vous parlez à moi?
Ou si vous présumez être déjà mon roi?

ANTIOCHUS

Je tâche avec respect à vous faire connaître
Les forces d'un amour que vous avez fait naître.

CLÉOPÂTRE

Moi, j'aurais allumé cet insolent amour?

ANTIOCHUS

Et quel autre prétexte a fait notre retour?
Nous avez-vous mandés qu'afin qu'un droit d'aînesse
Donnât à l'un de nous le trône et la Princesse?
Vous avez bien fait plus, vous nous l'avez fait voir,
Et c'était par vos mains nous mettre en son pouvoir.
Qui de nous deux, Madame, eût osé s'en défendre,
Quand vous nous ordonniez à tous deux d'y prétendre?
Si sa beauté dès lors n'eût allumé nos feux,
Le devoir auprès d'elle eût attaché nos vœux;
Le désir de régner eût fait la même chose;
Et dans l'ordre des lois que la paix nous impose,
Nous devions aspirer à sa possession
Par amour, par devoir, ou par ambition.
Nous avons donc aimé, nous avons cru vous plaire :
Chacun de nous n'a craint que le bonheur d'un frère;
Et cette crainte enfin cédant à l'amitié,
J'implore pour tous deux un moment de pitié.
Avons-nous dû prévoir cette haine cachée,
Que la foi des traités n'avait point arrachée?

CLÉOPÂTRE

Non; mais vous avez dû garder le souvenir
Des hontes que pour vous j'avais su prévenir,
Et de l'indigne état où votre Rodogune,
Sans moi, sans mon courage, eût mis votre fortune.
Je croyais que vos cœurs, sensibles à ces coups,
En sauraient conserver un généreux courroux;
Et je le retenais avec ma douceur feinte,
Afin que grossissant sous un peu de contrainte,
Ce torrent de colère et de ressentiment
Fût plus impétueux en son débordement.
Je fais plus maintenant : je presse, sollicite,
Je commande, menace, et rien ne vous irrite.
Le sceptre, dont ma main vous doit récompenser,
N'a point de quoi vous faire un moment balancer :
Vous ne considérez ni lui, ni mon injure;
L'amour étouffe en vous la voix de la nature :
Et je pourrais aimer des fils dénaturés !

ANTIOCHUS

La nature et l'amour ont leurs droits séparés;
L'un n'ôte point à l'autre une âme qu'il possède.

CLÉOPÂTRE

Non, non, où l'amour règne il faut que l'autre cède.

ANTIOCHUS

Leurs charmes à nos cœurs sont également doux.
Nous périrons tous deux s'il faut périr pour vous;
Mais aussi...

CLÉOPÂTRE

Poursuivez, fils ingrat et rebelle.

ANTIOCHUS

Nous périrons tous deux s'il faut périr pour elle.

CLÉOPÂTRE

Périssez, périssez : votre rébellion
Mérite plus d'horreur que de compassion.
Mes yeux sauront le voir sans verser une larme,
Sans regarder en vous que l'objet qui vous charme;
Et je triompherai, voyant périr mes fils,
De ses adorateurs et de mes ennemis.

ANTIOCHUS

Eh bien ! triomphez-en, que rien ne vous retienne :
Votre main tremble-t-elle? y voulez-vous la mienne?
Madame, commandez, je suis prêt d'obéir :
Je percerai ce cœur qui vous ose trahir;
Heureux si par ma mort je puis vous satisfaire,
Et noyer dans mon sang toute votre colère !
Mais si la dureté de votre aversion
Nomme encor notre amour une rébellion,
Du moins souvenez-vous qu'elle n'a pris pour armes
Que de faibles soupirs et d'impuissantes larmes.

CLÉOPÂTRE

Ah ! que n'a-t-elle pris et la flamme et le fer !
Que bien plus aisément j'en saurais triompher !
Vos larmes dans mon cœur ont trop d'intelligence;
Elles ont presque éteint cette ardeur de vengeance,
Je ne puis refuser des soupirs à vos pleurs;
Je sens que je suis mère auprès de vos douleurs.
C'en eſt fait, je me rends, et ma colère expire :
Rodogune eſt à vous aussi bien que l'empire.
Rendez grâces aux Dieux qui vous ont fait l'aîné :
Possédez-la, régnez.

ANTIOCHUS

Oh ! moment fortuné !
Oh ! trop heureuse fin de l'excès de ma peine !
Je rends grâces aux Dieux qui calment votre haine;
Madame, eſt-il possible?

CLÉOPÂTRE

En vain j'ai résiſté,
La nature eſt trop forte, et mon cœur s'eſt dompté.
Je ne vous dis plus rien, vous aimez votre mère,
Et votre amour pour moi taira ce qu'il faut taire.

ANTIOCHUS

Quoi? je triomphe donc sur le point de périr !
La main qui me blessait a daigné me guérir !

CLÉOPÂTRE

Oui, je veux couronner une flamme si belle.
Allez à la Princesse en porter la nouvelle;
Son cœur, comme le vôtre, en deviendra charmé :
Vous n'aimeriez pas tant si vous n'étiez aimé.

ANTIOCHUS

Heureux Antiochus ! heureuse Rodogune !
Oui, Madame, entre nous la joie en eﬅ commune.

CLÉOPÂTRE

Allez donc; ce qu'ici vous perdez de moments
Sont autant de larcins à vos contentements;
Et ce soir, deﬅiné pour la cérémonie,
Fera voir pleinement si ma haine eﬅ finie.

ANTIOCHUS

Et nous vous ferons voir tous nos désirs bornés
A vous donner en nous des sujets couronnés.

SCÈNE IV

CLÉOPÂTRE, LAONICE

LAONICE

Enfin ce grand courage a vaincu sa colère.

CLÉOPÂTRE

Que ne peut point un fils sur le cœur d'une mère?

LAONICE

Vos pleurs coulent encore, et ce cœur adouci...

CLÉOPÂTRE

Envoyez-moi son frère, et nous laissez ici.
Sa douleur sera grande, à ce que je présume;
Mais j'en saurai sur l'heure adoucir l'amertume.
Ne lui témoignez rien : il lui sera plus doux
D'apprendre tout de moi, qu'il ne serait de vous.

SCÈNE V

CLÉOPÂTRE

Que tu pénètres mal le fond de mon courage !
Si je verse des pleurs, ce sont des pleurs de rage;

Et ma haine, qu'en vain tu crois s'évanouir,
Ne les a fait couler qu'afin de t'éblouir.
Je ne veux plus que moi dedans ma confidence.
Et toi, crédule amant, que charme l'apparence,
Et dont l'esprit léger s'attache avidement
Aux attraits captieux de mon déguisement,
Va, triomphe en idée avec ta Rodogune,
Au sort des immortels préfère ta fortune,
Tandis que mieux instruite en l'art de me venger,
En de nouveaux malheurs je saurai te plonger.
Ce n'est pas tout d'un coup que tant d'orgueil trébuche :
De qui se rend trop tôt on doit craindre une embûche;
Et c'est mal démêler le cœur d'avec le front,
Que prendre pour sincère un changement si prompt.
L'effet te fera voir comme je suis changée.

SCÈNE VI

CLÉOPÂTRE, SÉLEUCUS

CLÉOPÂTRE

Savez-vous, Séleucus, que je me suis vengée?

SÉLEUCUS

Pauvre princesse, hélas !

CLÉOPÂTRE

Vous déplorez son sort !

Quoi? l'aimiez-vous?

SÉLEUCUS

Assez pour regretter sa mort.

CLÉOPÂTRE

Vous lui pouvez servir encor d'amant fidèle;
Si j'ai su me venger, ce n'a pas été d'elle.

SÉLEUCUS

Oh ciel ! et de qui donc, Madame?

CLÉOPÂTRE

C'est de vous,
Ingrat, qui n'aspirez qu'à vous voir son époux;
De vous, qui l'adorez en dépit d'une mère;
De vous, qui dédaignez de servir ma colère;
De vous, de qui l'amour, rebelle à mes désirs,
S'oppose à ma vengeance, et détruit mes plaisirs.

SÉLEUCUS

De moi!

CLÉOPÂTRE

De toi, perfide! Ignore, dissimule
Le mal que tu dois craindre et le feu qui te brûle;
Et si pour l'ignorer tu crois t'en garantir,
Du moins en l'apprenant commence à le sentir.
Le trône était à toi par le droit de naissance;
Rodogune avec lui tombait en ta puissance;
Tu devais l'épouser, tu devais être roi!
Mais comme ce secret n'est connu que de moi,
Je puis, comme je veux, tourner le droit d'aînesse,
Et donne à ton rival ton sceptre et ta maîtresse.

SÉLEUCUS

A mon frère?

CLÉOPÂTRE

C'est lui que j'ai nommé l'aîné.

SÉLEUCUS

Vous ne m'affligez point de l'avoir couronné;
Et par une raison qui vous est inconnue,
Mes propres sentiments vous avaient prévenue:
Les biens que vous m'ôtez n'ont point d'attraits si doux
Que mon cœur n'ait donnés à ce frère avant vous;
Et si vous bornez là toute votre vengeance,
Vos désirs et les miens seront d'intelligence.

CLÉOPÂTRE

C'est ainsi qu'on déguise un violent dépit;
C'est ainsi qu'une feinte au dehors l'assoupit,
Et qu'on croit amuser de fausses patiences
Ceux dont en l'âme on craint les justes défiances.

SÉLEUCUS

Quoi? je conserverais quelque courroux secret!

CLÉOPÂTRE

Quoi? lâche, tu pourrais la perdre sans regret?
Elle de qui les Dieux te donnaient l'hyménée,
Elle dont tu plaignais la perte imaginée?

SÉLEUCUS

Considérer sa perte avec compassion,
Ce n'est pas aspirer à sa possession.

CLÉOPÂTRE

Que la mort la ravisse, ou qu'un rival l'emporte,
La douleur d'un amant est également forte;
Et tel qui se console après l'instant fatal,
Ne saurait voir son bien aux mains de son rival :
Piqué jusques au vif, il tâche à le reprendre;
Il fait de l'insensible, afin de mieux surprendre;
D'autant plus animé, que ce qu'il a perdu
Par rang ou par mérite à sa flamme était dû.

SÉLEUCUS

Peut-être; mais enfin par quel amour de mère
Pressez-vous tellement ma douleur contre un frère?
Prenez-vous intérêt à la faire éclater?

CLÉOPÂTRE

J'en prends à la connaître, et la faire avorter;
J'en prends à conserver malgré toi mon ouvrage
Des jaloux attentats de ta secrète rage.

SÉLEUCUS

Je le veux croire ainsi; mais quel autre intérêt
Nous fait tous deux aînés quand et comme il vous plaît?
Qui des deux vous doit croire, et par quelle justice
Faut-il que sur moi seul tombe tout le supplice,
Et que du même amour dont nous sommes blessés
Il soit récompensé, quand vous m'en punissez?

CLÉOPÂTRE

Comme reine, à mon choix je fais justice ou grâce,
Et je m'étonne fort d'où vous vient cette audace,

D'où vient qu'un fils, vers moi noirci de trahison,
Ose de mes faveurs me demander raison.

SÉLEUCUS

Vous pardonnerez donc ces chaleurs indiscrètes :
Je ne suis point jaloux du bien que vous lui faites;
Et je vois quel amour vous avez pour tous deux,
Plus que vous ne pensez et plus que je ne veux :
Le respect me défend d'en dire davantage.
Je n'ai ni faute d'yeux ni faute de courage,
Madame; mais enfin n'espérez voir en moi
Qu'amitié pour mon frère, et zèle pour mon roi.
Adieu.

SCÈNE VII

CLÉOPÂTRE

De quel malheur suis-je encore capable?
Leur amour m'offensait, leur amitié m'accable;
Et contre mes fureurs je trouve en mes deux fils
Deux enfants révoltés et deux rivaux unis.
Quoi? sans émotion perdre trône et maîtresse !
Quel est ici ton charme, odieuse Princesse?
Et par quel privilège, allumant de tels feux,
Peux-tu n'en prendre qu'un et m'ôter tous les deux?
N'espère pas pourtant triompher de ma haine :
Pour régner sur deux cœurs, tu n'es pas encor reine.
Je sais bien qu'en l'état où tous deux je les voi,
Il me les faut percer pour aller jusqu'à toi;
Mais n'importe : mes mains sur le père enhardies
Pour un bras refusé sauront prendre deux vies;
Leurs jours également sont pour moi dangereux :
J'ai commencé par lui, j'achèverai par eux.
Sors de mon cœur, nature, ou fais qu'ils m'obéissent[11] :
Fais-les servir ma haine, ou consens qu'ils périssent.
Mais déjà l'un a vu que je les veux punir :
Souvent qui tarde trop se laisse prévenir.
Allons chercher le temps d'immoler mes victimes,
Et de me rendre heureuse à force de grands crimes.

ACTE V

SCÈNE PREMIÈRE

CLÉOPÂTRE

ENFIN, grâces aux Dieux, j'ai moins d'un ennemi :
La mort de Séleucus m'a vengée à demi.
Son ombre, en attendant Rodogune et son frère,
Peut déjà de ma part les promettre à son père :
Ils le suivront de près, et j'ai tout préparé
Pour réunir bientôt ce que j'ai séparé.
O toi, qui n'attends plus que la cérémonie
Pour jeter à mes pieds ma rivale punie,
Et par qui deux amants vont d'un seul coup du sort
Recevoir l'hyménée, et le trône, et la mort,
Poison, me sauras-tu rendre mon diadème?
Le fer m'a bien servie, en feras-tu de même?
Me seras-tu fidèle? Et toi, que me veux-tu,
Ridicule retour d'une sotte vertu,
Tendresse dangereuse autant comme importune?
Je ne veux point pour fils l'époux de Rodogune,
Et ne vois plus en lui les restes de mon sang,
S'il m'arrache du trône et la met en mon rang.
Reste du sang ingrat d'un époux infidèle,
Héritier d'une flamme envers moi criminelle,
Aime mon ennemie, et péris comme lui.
Pour la faire tomber j'abattrai son appui;
Aussi bien sous mes pas c'est creuser un abîme,
Que retenir ma main sur la moitié du crime;
Et, te faisant mon roi, c'est trop me négliger,
Que te laisser sur moi père et frère à venger.
Qui se venge à demi court lui-même à sa peine :
Il faut ou condamner ou couronner sa haine.
Dût le peuple en fureur pour ses maîtres nouveaux
De mon sang odieux arroser leurs tombeaux,
Dût le Parthe vengeur me trouver sans défense,

Dût le ciel égaler le supplice à l'offense,
Trône, à t'abandonner je ne puis consentir :
Par un coup de tonnerre il vaut mieux en sortir;
Il vaut mieux mériter le sort le plus étrange.
Tombe sur moi le ciel, pourvu que je me venge !
J'en recevrai le coup d'un visage remis :
Il est doux de périr après ses ennemis;
Et de quelque rigueur que le destin me traite,
Je perds moins à mourir qu'à vivre leur sujette.
Mais voici Laonice : il faut dissimuler
Ce que le seul effet doit bientôt révéler.

SCÈNE II

CLÉOPÂTRE, LAONICE

CLÉOPÂTRE

Viennent-ils, nos amants?

LAONICE

Ils approchent, Madame :
On lit dessus leur front l'allégresse de l'âme;
L'amour s'y fait paraître avec la majesté;
Et suivant le vieil ordre en Syrie usité,
D'une grâce en tous deux tout auguste et royale
Ils viennent prendre ici la coupe nuptiale,
Pour s'en aller au temple, au sortir du palais,
Par les mains du grand prêtre être unis à jamais :
C'est là qu'il les attend pour bénir l'alliance.
Le peuple tout ravi par ses vœux le devance,
Et pour eux à grands cris demande aux immortels
Tout ce qu'on leur souhaite au pied de leurs autels,
Impatient pour ceux que la cérémonie
Ne commence bientôt, ne soit bientôt finie.
Les Parthes à la foule aux Syriens mêlés,
Tous nos vieux différends de leur âme exilés,
Font leur suite assez grosse, et d'une voix commune
Bénissent à l'envi le Prince et Rodogune.
Mais je les vois déjà, Madame : c'est à vous
A commencer ici des spectacles si doux.

SCÈNE III

CLÉOPÂTRE, ANTIOCHUS, RODOGUNE,
ORONTE, LAONICE,
TROUPE DE PARTHES ET DE SYRIENS

CLÉOPÂTRE

Approchez, mes enfants, car l'amour maternelle,
Madame, dans mon cœur vous tient déjà pour telle;
Et je crois que ce nom ne vous déplaira pas.

RODOGUNE

Je le chérirai même au delà du trépas.
Il m'est trop doux, Madame, et tout l'heur que j'espère,
C'est de vous obéir et respecter en mère.

CLÉOPÂTRE

Aimez-moi seulement : vous allez être rois,
Et s'il faut du respect, c'est moi qui vous le dois.

ANTIOCHUS

Ah ! si nous recevons la suprême puissance,
Ce n'est pas pour sortir de votre obéissance :
Vous régnerez ici quand nous y régnerons,
Et ce seront vos lois que nous y donnerons.

CLÉOPÂTRE

J'ose le croire ainsi; mais prenez votre place :
Il est temps d'avancer ce qu'il faut que je fasse.

(Ici Antiochus s'assied dans un fauteuil, Rodogune à sa gauche, en même rang, et Cléopâtre à sa droite, mais en rang inférieur, et qui marque quelque inégalité. Oronte s'assied aussi à la gauche de Rodogune, avec la même différence ; et Cléopâtre, cependant qu'ils prennent leurs places, parle à l'oreille de Laonice, qui s'en va querir une coupe pleine de vin empoisonné. Après qu'elle est partie, Cléopâtre continue :)

Peuple qui m'écoutez, Parthes et Syriens,
Sujets du Roi son frère, ou qui fûtes les miens,

Voici de mes deux fils celui qu'un droit d'aînesse
Élève dans le trône, et donne à la Princesse.
Je lui rends cet État que j'ai sauvé pour lui :
Je cesse de régner, il commence aujourd'hui.
Qu'on ne me traite plus ici de souveraine :
Voici votre roi, peuple, et voilà votre reine.
Vivez pour les servir, respectez-les tous deux,
Aimez-les, et mourez, s'il est besoin, pour eux.
Oronte, vous voyez avec quelle franchise
Je leur rends ce pouvoir dont je me suis démise :
Prêtez les yeux au reste, et voyez les effets
Suivre de point en point les traités de la paix.

Laonice revient avec une coupe à la main.

ORONTE

Votre sincérité s'y fait assez paraître,
Madame, et j'en ferai récit au Roi mon maître.

CLÉOPÂTRE

L'hymen est maintenant notre plus cher souci.
L'usage veut, mon fils, qu'on le commence ici;
Recevez de ma main la coupe nuptiale,
Pour être après unis sous la foi conjugale;
Puisse-t-elle être un gage, envers votre moitié,
De votre amour ensemble et de mon amitié !

ANTIOCHUS, *prenant la coupe.*

Ciel ! que ne dois-je point aux bontés d'une mère?

CLÉOPÂTRE

Le temps presse, et votre heur d'autant plus se diffère.

ANTIOCHUS, *à Rodogune.*

Madame, hâtons donc ces glorieux moments :
Voici l'heureux essai de nos contentements.
Mais si mon frère était le témoin de ma joie...

CLÉOPÂTRE

C'est être trop cruel de vouloir qu'il la voie :
Ce sont des déplaisirs qu'il fait bien d'épargner;
Et sa douleur secrète a droit de l'éloigner.

ANTIOCHUS

Il m'avait assuré qu'il la verrait sans peine.
Mais n'importe, achevons.

SCÈNE IV

CLÉOPÂTRE, ANTIOCHUS, RODOGUNE,
ORONTE, TIMAGÈNE, LAONICE,
TROUPE

TIMAGÈNE

Ah! Seigneur.

CLÉOPÂTRE

Timagène,
Quelle eſt votre insolence?

TIMAGÈNE

Ah! Madame!

ANTIOCHUS, *rendant la coupe à Laonice.*

Parlez.

TIMAGÈNE

Souffrez pour un moment que mes sens rappelés...

ANTIOCHUS

Qu'eſt-il donc arrivé?

TIMAGÈNE

Le Prince votre frère...

ANTIOCHUS

Quoi? se voudrait-il rendre à mon bonheur contraire?

TIMAGÈNE

L'ayant cherché longtemps afin de divertir
L'ennui que de sa perte il pouvait ressentir,
Je l'ai trouvé, Seigneur, au bout de cette allée,
Où la clarté du ciel semble toujours voilée.
Sur un lit de gazon, de faiblesse étendu,
Il semblait déplorer ce qu'il avait perdu :
Son âme à ce penser paraissait attachée;
Sa tête sur un bras languissamment penchée,
Immobile et rêveur, en malheureux amant...

ANTIOCHUS

Enfin, que faisait-il? achevez promptement.

TIMAGÈNE

D'une profonde plaie en l'eﬆomac ouverte,
Son sang à gros bouillons sur cette couche verte...

CLÉOPÂTRE

Il eﬆ mort?

TIMAGÈNE

Oui, Madame.

CLÉOPÂTRE

Ah ! deﬆins ennemis,
Qui m'enviez le bien que je m'étais promis,
Voilà le coup fatal que je craignais dans l'âme,
Voilà le désespoir où l'a réduit sa flamme.
Pour vivre en vous perdant il avait trop d'amour,
Madame, et de sa main il s'eﬆ privé du jour.

TIMAGÈNE, *à Cléopâtre.*

Madame, il a parlé : sa main eﬆ innocente.

CLÉOPÂTRE, *à Timagène.*

La tienne eﬆ donc coupable, et ta rage insolente,
Par une lâcheté qu'on ne peut égaler,
L'ayant assassiné, le fait encor parler !

ANTIOCHUS

Timagène, souffrez la douleur d'une mère,
Et les premiers soupçons d'une aveugle colère.
Comme ce coup fatal n'a point d'autres témoins,
J'en ferais autant qu'elle, à vous connaître moins.
Mais que vous a-t-il dit? achevez, je vous prie.

TIMAGÈNE

Surpris d'un tel speﬆacle, à l'inﬆant je m'écrie;
Et soudain à mes cris, ce prince, en soupirant,
Avec assez de peine entr'ouvre un œil mourant;
Et ce reﬆe égaré de lumière incertaine
Lui peignant son cher frère au lieu de Timagène,
Rempli de votre idée, il m'adresse pour vous

Ces mots où l'amitié règne sur le courroux :
« Une main qui nous fut bien chère
Venge ainsi le refus d'un coup trop inhumain.
Régnez; et surtout, mon cher frère,
Gardez-vous de la même main.
C'est... » La Parque à ce mot lui coupe la parole
Sa lumière s'éteint, et son âme s'envole;
Et moi, tout effrayé d'un si tragique sort,
J'accours pour vous en faire un funeste rapport.

ANTIOCHUS

Rapport vraiment funeste, et sort vraiment tragique,
Qui va changer en pleurs l'allégresse publique.
O frère, plus aimé que la clarté du jour,
O rival, aussi cher que m'était mon amour,
Je te perds, et je trouve en ma douleur extrême
Un malheur dans ta mort plus grand que ta mort même.
Oh! de ses derniers mots fatale obscurité!
En quel gouffre d'horreur m'as-tu précipité ?
Quand j'y pense chercher la main qui l'assassine,
Je m'impute à forfait tout ce que j'imagine;
Mais aux marques enfin que tu m'en viens donner,
Fatale obscurité, qui dois-je en soupçonner?
« Une main qui nous fut bien chère ! »
Madame, est-ce la vôtre, ou celle de ma mère?
Vous vouliez toutes deux un coup trop inhumain;
Nous vous avons tous deux refusé notre main;
Qui de vous s'est vengée? est-ce l'une, est-ce l'autre
Qui fait agir la sienne au refus de la nôtre?
Est-ce vous qu'en coupable il me faut regarder?
Est-ce vous désormais dont je me dois garder?

CLÉOPÂTRE

Quoi? vous me soupçonnez?

RODOGUNE

Quoi? je vous suis suspecte?

ANTIOCHUS

Je suis amant et fils, je vous aime et respecte;
Mais quoi que sur mon cœur puissent des noms si doux,
A ces marques enfin je ne connais que vous.
As-tu bien entendu? dis-tu vrai, Timagène?

TIMAGÈNE

Avant qu'en soupçonner la Princesse ou la Reine,
Je mourrais mille fois; mais enfin mon récit
Contient, sans rien de plus, ce que le Prince a dit.

ANTIOCHUS

D'un et d'autre côté l'action est si noire,
Que n'en pouvant douter, je n'ose encor la croire.
O quiconque des deux avez versé son sang,
Ne vous préparez plus à me percer le flanc !
Nous avons mal servi vos haines mutuelles,
Aux jours l'une de l'autre également cruelles;
Mais si j'ai refusé ce détestable emploi,
Je veux bien vous servir toutes deux contre moi :
Qui que vous soyez donc, recevez une vie
Que déjà vos fureurs m'ont à demi ravie.

(Il tire son épée, et veut se tuer.)

RODOGUNE

Ah ! Seigneur, arrêtez.

TIMAGÈNE

Seigneur, que faites-vous?

ANTIOCHUS

Je sers ou l'une ou l'autre, et je préviens ses coups.

CLÉOPÂTRE

Vivez, régnez heureux.

ANTIOCHUS

Otez-moi donc de doute,
Et montrez-moi la main qu'il faut que je redoute,
Qui pour m'assassiner ose me secourir,
Et me sauve de moi pour me faire périr.
Puis-je vivre et traîner cette gêne éternelle,
Confondre l'innocente avec la criminelle,
Vivre et ne pouvoir plus vous voir sans m'alarmer,
Vous craindre toutes deux, toutes deux vous aimer?
Vivre avec ce tourment, c'est mourir à toute heure.
Tirez-moi de ce trouble, ou souffrez que je meure,
Et que mon déplaisir, par un coup généreux,
Épargne un parricide à l'une de vous deux.

CLÉOPÂTRE

Puisque le même jour que ma main vous couronne
Je perds un de mes fils, et l'autre me soupçonne;
Qu'au milieu de mes pleurs, qu'il devrait essuyer,
Son peu d'amour me force à me justifier;
Si vous n'en pouvez mieux consoler une mère
Qu'en la traitant d'égale avec une étrangère,
Je vous dirai, Seigneur (car ce n'est plus à moi
A nommer autrement et mon juge et mon roi),
Que vous voyez l'effet de cette vieille haine
Qu'en dépit de la paix me garde l'inhumaine,
Qu'en son cœur du passé soutient le souvenir,
Et que j'avais raison de vouloir prévenir.
Elle a soif de mon sang, elle a voulu l'épandre :
J'ai prévu d'assez loin ce que j'en viens d'apprendre;
Mais je vous ai laissé désarmer mon courroux.

(A Rodogune.)

Sur la foi de ses pleurs je n'ai rien craint de vous,
Madame; mais, ô Dieux ! quelle rage est la vôtre !
Quand je vous donne un fils, vous assassinez l'autre,
Et m'enviez soudain l'unique et faible appui
Qu'une mère opprimée eût pu trouver en lui !
Quand vous m'accablerez, où sera mon refuge?
Si je m'en plains au Roi, vous possédez mon juge;
Et s'il m'ose écouter, peut-être, hélas ! en vain
Il voudra se garder de cette même main.
Enfin je suis leur mère, et vous leur ennemie;
J'ai recherché leur gloire, et vous leur infamie;
Et si je n'eusse aimé ces fils que vous m'ôtez,
Votre abord en ces lieux les eût déshérités.
C'est à lui maintenant, en cette concurrence,
A régler ses soupçons sur cette différence,
A voir de qui des deux il doit se défier,
Si vous n'avez un charme à vous justifier.

RODOGUNE, *à Cléopâtre.*

Je me défendrai mal : l'innocence étonnée
Ne peut s'imaginer qu'elle soit soupçonnée;
Et n'ayant rien prévu d'un attentat si grand,
Qui l'en veut accuser sans peine la surprend.
Je ne m'étonne point de voir que votre haine
Pour me faire coupable a quitté Timagène.

Au moindre jour ouvert de tout jeter sur moi,
Son récit s'est trouvé digne de votre foi.
Vous l'accusiez pourtant, quand votre âme alarmée
Craignait qu'en expirant ce fils vous eût nommée;
Mais de ses derniers mots voyant le sens douteux,
Vous avez pris soudain le crime entre nous deux.
Certes, si vous voulez passer pour véritable
Que l'une de nous deux de sa mort soit coupable,
Je veux bien par respect ne vous imputer rien;
Mais votre bras au crime est plus fait que le mien;
Et qui sur un époux fit son apprentissage
A bien pu sur un fils achever son ouvrage.
Je ne dénierai point, puisque vous les savez,
De justes sentiments dans mon âme élevés :
Vous demandiez mon sang; j'ai demandé le vôtre :
Le Roi sait quels motifs ont poussé l'une et l'autre;
Comme par sa prudence il a tout adouci,
Il vous connaît peut-être, et me connaît aussi.

(A Antiochus.)

Seigneur, c'est un moyen de vous être bien chère
Que pour don nuptial vous immoler un frère :
On fait plus; on m'impute un coup si plein d'horreur,
Pour me faire un passage à vous percer le cœur.

(A Cléopâtre.)

Où fuirais-je de vous après tant de furie,
Madame, et que ferait toute votre Syrie,
Où seule, et sans appui contre mes attentats,
Je verrais...? Mais, Seigneur, vous ne m'écoutez pas.

ANTIOCHUS

Non, je n'écoute rien; et dans la mort d'un frère
Je ne veux point juger entre vous et ma mère :
Assassinez un fils, massacrez un époux,
Je ne veux me garder ni d'elle, ni de vous.
Suivons aveuglément ma triste destinée;
Pour m'exposer à tout achevons l'hyménée.
Cher frère, c'est pour moi le chemin du trépas;
La main qui t'a percé ne m'épargnera pas;
Je cherche à te rejoindre, et non à m'en défendre,
Et lui veux bien donner tout lieu de me surprendre :
Heureux si sa fureur qui me prive de toi,
Se fait bientôt connaître en achevant sur moi,

Et si du ciel, trop lent à la réduire en poudre,
Son crime redoublé peut arracher la foudre !
Donnez-moi...

RODOGUNE, *l'empêchant de prendre la coupe.*

Quoi? Seigneur.

ANTIOCHUS

Vous m'arrêtez en vain :
Donnez.

RODOGUNE

Ah ! gardez-vous de l'une et l'autre main.
Cette coupe eſt suspeƈte, elle vient de la Reine;
Craignez de toutes deux quelque secrète haine.

CLÉOPÂTRE

Qui m'épargnait tantôt ose enfin m'accuser !

RODOGUNE

De toutes deux, Madame, il doit tout refuser.
Je n'accuse personne, et vous tiens innocente;
Mais il en faut sur l'heure une preuve évidente :
Je veux bien à mon tour subir les mêmes lois.
On ne peut craindre trop pour le salut des rois.
Donnez donc cette preuve; et pour toute réplique,
Faites faire un essai par quelque domeſtique.

CLÉOPÂTRE, *prenant la coupe.*

Je le ferai moi-même. Eh bien ! redoutez-vous
Quelque siniſtre effet encor de mon courroux?
J'ai souffert cet outrage avecque patience.

ANTIOCHUS, *prenant la coupe des mains de Cléopâtre, après qu'elle a bu.*

Pardonnez-lui, Madame, un peu de défiance :
Comme vous l'accusez, elle fait son effort
A rejeter sur vous l'horreur de cette mort;
Et soit amour pour moi, soit adresse pour elle,
Ce soin la fait paraître un peu moins criminelle.
Pour moi, qui ne vois rien, dans le trouble où je suis,
Qu'un gouffre de malheurs, qu'un abîme d'ennuis,

Attendant qu'en plein jour ces vérités paraissent,
J'en laisse la vengeance aux Dieux qui les connaissent,
Et vais sans plus tarder...

RODOGUNE

Seigneur, voyez ses yeux
Déjà tout égarés, troubles et furieux,
Cette affreuse sueur qui court sur son visage,
Cette gorge qui s'enfle. Ah, bons Dieux ! quelle rage !
Pour vous perdre après elle, elle a voulu périr.

ANTIOCHUS, *rendant la coupe à Laonice ou à quelque autre.*

N'importe : elle est ma mère, il faut la secourir.

CLÉOPÂTRE

Va, tu me veux en vain rappeler à la vie;
Ma haine est trop fidèle, et m'a trop bien servie :
Elle a paru trop tôt pour te perdre avec moi;
C'est le seul déplaisir qu'en mourant je reçoi;
Mais j'ai cette douceur dedans cette disgrâce
De ne voir point régner ma rivale en ma place.
Règne : de crime en crime enfin te voilà roi.
Je t'ai défait d'un père, et d'un frère et de moi :
Puisse le ciel tous deux vous prendre pour victimes,
Et laisser choir sur vous les peines de mes crimes !
Puissiez-vous ne trouver dedans votre union
Qu'horreur, que jalousie, et que confusion !
Et pour vous souhaiter tous les malheurs ensemble,
Puisse naître de vous un fils qui me ressemble[12] !

ANTIOCHUS

Ah ! vivez pour changer cette haine en amour.

CLÉOPÂTRE

Je maudirais les Dieux s'ils me rendaient le jour.
Qu'on m'emporte d'ici : je me meurs, Laonice,
Si tu veux m'obliger par un dernier service,
Après les vains efforts de mes inimitiés,
Sauve-moi de l'affront de tomber à leurs pieds.

Elle s'en va, et Laonice lui aide à marcher.

ORONTE

Dans les justes rigueurs d'un sort si déplorable,
Seigneur, le juste ciel vous est bien favorable;

Il vous a préservé, sur le point de périr,
Du danger le plus grand que vous puissiez courir;
Et par un digne effet de ses faveurs puissantes,
La coupable eſt punie et vos mains innocentes.

ANTIOCHUS

Oronte, je ne sais, dans son funeſte sort,
Qui m'afflige le plus, ou sa vie, ou sa mort;
L'une et l'autre a pour moi des malheurs sans exemple :
Plaignez mon infortune. Et vous, allez au temple
Y changer l'allégresse en un deuil sans pareil,
La pompe nuptiale en funèbre appareil;
Et nous verrons après, par d'autres sacrifices,
Si les Dieux voudront être à nos vœux plus propices.

HÉRACLIUS
EMPEREUR D'ORIENT
TRAGÉDIE

A MONSEIGNEUR SÉGUIER CHANCELIER DE FRANCE[1]

MONSEIGNEUR,

Je sais que cette tragédie n'est pas d'un genre assez relevé pour espérer légitimement que vous y daigniez jeter les yeux, et que pour offrir quelque chose à V. Grandeur qui n'en fût pas entièrement indigne, j'aurais eu besoin d'une parfaite peinture de toute la vertu d'un Caton ou d'un Sénèque ; mais comme je tâchais d'amasser des forces pour ce grand dessein, les nouvelles faveurs que j'ai reçues de vous m'ont donné une juste impatience de les publier ; et les applaudissements qui ont suivi les représentations de ce poëme m'ont fait présumer que sa bonne fortune pourrait suppléer à son peu de mérite. La curiosité que son récit a laissée dans les esprits pour sa lecture m'a flatté aisément, jusques à me persuader que je ne pouvais prendre une plus heureuse occasion de leur faire savoir combien je vous suis redevable ; et j'ai précipité ma reconnaissance, quand j'ai considéré qu'autant que je la différerais pour m'en acquitter plus dignement, autant je demeurerais dans les apparences d'une ingratitude inexcusable envers vous. Mais quand même les dernières obligations que je vous ai ne m'auraient pas fait cette glorieuse violence, il faut que je vous avoue ingénument que les intérêts de ma propre réputation, m'en imposaient une très-pressante nécessité. Le bonheur de mes ouvrages ne la porte en aucun lieu où elle ne demeure fort douteuse, et où l'on ne se défie avec raison de ce qu'en dit la voix publique, parce qu'aucun d'eux n'y fait connaître l'honneur que j'ai d'être connu de vous. Cependant on sait par toute l'Europe l'accueil favorable que V. Grandeur fait aux gens de lettres ; que l'accès auprès de vous est ouvert et libre à tous ceux que les sciences ou les talents de l'esprit élèvent au-dessus du commun ; que les caresses dont vous les honorez sont les marques les plus indubitables et les plus solides de ce qu'ils valent ; et qu'enfin nos plus belles muses, que feu Mgr le cardinal de Richelieu avait choisies de sa main pour en composer un corps tout d'esprit, seraient encore inconsolables de sa perte, si elles n'avaient trouvé chez V. Grandeur la même protection qu'elles rencontraient chez Son Éminence. Quelle apparence donc qu'en quelque climat où notre langue puisse avoir entrée, on puisse croire qu'un homme mérite quelque véritable estime, si ses travaux n'y portent les assurances de l'état que vous en faites dans les hommages qu'il vous en doit? Trouvez bon, MONSEIGNEUR, que celui-ci, plus heureux que le reste des miens, affranchisse mon nom de la honte de ne vous en avoir point encore rendu, et que, pour affermir ce peu de réputation qu'ils m'ont acquis, il tire mes lecteurs d'un doute si légitime, en leur apprenant non-seulement que je ne vous suis pas tout à fait inconnu, mais aussi même que votre bonté ne dédaigne pas de répandre sur moi votre bienveillance et vos grâces : de sorte que quand votre vertu ne me donnerait pas toutes les passions imaginables pour votre service, je serais le plus ingrat de tous les hommes si je n'étais toute ma vie très-véritablement,

MONSEIGNEUR

Votre très-humble, très-obéissant et très-fidèle serviteur,

CORNEILLE.

AU LECTEUR

Voici une hardie entreprise sur l'histoire, dont vous ne reconnaîtrez aucune chose dans cette tragédie, que l'ordre de la succession des empereurs Tibère, Maurice, Phocas et Héraclius. J'ai falsifié la naissance de ce dernier; mais ce n'a été qu'en sa faveur, et pour lui en donner une plus illustre, le faisant fils de l'empereur Maurice, bien qu'il ne le fût que d'un préteur d'Afrique de même nom que lui. J'ai prolongé la durée de l'empire de son prédécesseur de douze années[2], et lui ai donné un fils, quoique l'histoire n'en parle point, mais seulement d'une fille nommée Domitia, qu'il maria à un Priscus ou Crispus. J'ai prolongé de même la vie de l'impératrice Constantine, et comme j'ai fait régner ce tyran vingt ans au lieu de huit, je n'ai fait mourir cette princesse que dans la quinzième année de sa tyrannie, quoiqu'il l'eût sacrifiée à sa sûreté avec ses filles dès la cinquième. Je ne me mettrai pas en peine de justifier cette licence que j'ai prise : l'événement l'a assez justifiée, et les exemples des anciens que j'ai rapportés sur *Rodogune* semblent l'autoriser suffisamment; mais à parler sans fard, je ne voudrais pas conseiller à personne de la tirer en exemple[3]. C'est beaucoup hasarder, et l'on n'est pas toujours heureux; et dans un dessein de cette nature, ce qu'un bon succès fait passer pour une ingénieuse hardiesse, un mauvais le fait prendre pour une témérité ridicule.

Baronius, parlant de la mort de l'empereur Maurice, et de celle de ses fils, que Phocas faisait immoler à sa vue, rapporte une circonstance très-rare, dont j'ai pris l'occasion de former le nœud de cette tragédie, à qui elle sert de fondement. Cette nourrice eut tant de zèle pour ce malheureux prince, qu'elle exposa son propre fils au supplice, au lieu d'un des siens qu'on lui avait donné à nourrir. Maurice reconnut l'échange, et l'empêcha par une considération pieuse que cette extermination de toute sa famille était un juste jugement de Dieu, auquel il n'eût pas cru satisfaire, s'il eût souffert que le sang d'un autre eût payé pour celui d'un de ses fils. Mais quant à ce qui était de la mère elle avait surmonté l'affection maternelle en faveur de son prince, et l'on peut dire que son enfant était mort pour son regard. Comme j'ai cru que cette action était assez généreuse pour mériter une personne plus illustre à la produire, j'ai fait de cette nourrice une gouvernante. J'ai supposé que l'échange avait eu son effet; et de cet enfant sauvé par la supposition d'un autre, j'en ai fait Héraclius, le successeur de Phocas. Bien plus, j'ai feint que cette Léontine, ne croyant pas pouvoir cacher longtemps cet enfant que Maurice avait commis à sa fidélité, vu la recherche exacte que Phocas en faisait faire, et se voyant même déjà soupçonnée et prête à être découverte, se voulut mettre dans les bonnes grâces de ce tyran, en lui allant offrir ce petit prince dont il était en peine, au lieu duquel elle lui livra son propre fils Léonce. J'ai ajouté que par cette action Phocas fut tellement gagné, qu'il crut ne pouvoir remettre son fils Martian aux mains d'une personne qui lui fût acquise, d'autant que ce qu'elle venait de faire l'avait jetée, à ce qu'il croyait, dans une haine irréconciliable avec les amis de Maurice, qu'il avait seuls à craindre. Cette faveur où je la mets auprès de lui donne lieu à un second échange d'Héraclius, pour fils, qui est dorénavant élevé auprès de lui sous le nom de Martian, cependant qu'elle retient le vrai Martian auprès d'elle et le nourrit sous le nom de Léonce, avec Martian, que Phocas lui avait confié. Je lui fais prendre l'occasion de l'éloignement de ce tyran, que j'arrête trois ans, sans revenir, à la guerre contre les Perses; et à son retour, je fais qu'elle lui donne Héraclius, qu'elle nourrissait comme son fils sous le nom de son Léonce, qu'elle avait exposé pour l'autre. Comme ces deux princes sont grands, et que Phocas, abusé par ce dernier échange, presse Héraclius d'épouser Pulchérie, fille de Maurice, qu'il avait réservée exprès seule de toute sa famille, afin qu'elle portât par ce mariage le droit et les titres de l'empire dans sa maison, Léontine, pour empêcher cette alliance incestueuse du frère et de la sœur, avertit Héraclius de sa naissance. Je serais trop long si je voulais ici toucher le reste des incidents d'un poëme si embarrassé, et me contenterai de vous avoir donné ces lumières, afin que vous en puissiez commencer la lecture avec moins d'obscurité. Vous vous souviendrez seulement qu'Héraclius passe pour Martian, fils de Phocas, et Martian pour Léonce, fils de Léontine, et qu'Héraclius sait qui il est et qui est ce faux Léonce; mais que le vrai Martian, Phocas, ni Pulchérie, n'en savent rien, non plus que le reste des acteurs, hormis Léontine et sa fille Eudoxe.

On m'a fait quelque scrupule de ce qu'il n'est pas vraisemblable qu'une mère expose son fils à la mort pour en préserver un autre; à quoi j'ai deux réponses à faire : la première, que notre unique docteur Aristote nous permet de mettre quelquefois des choses qui même soient contre la raison et l'apparence, pourvu que ce soit hors de l'action, ou pour me servir des termes latins de ses interprètes, *extra fabulam,* comme est ici cette supposition d'enfant, et nous donne pour exemple Œdipe, qui ayant tué un roi de Thèbes, l'ignore encore vingt ans après; l'autre, que l'action étant vraie du côté de la mère, comme je l'ai remarqué tantôt, il ne faut plus s'informer si elle est vraisemblable, étant certain que toutes les vérités sont recevables dans la poésie, quoiqu'elle ne soit pas obligée à les suivre. La liberté qu'elle a de s'en écarter n'est pas une nécessité, et la vraisemblance n'est qu'une condition nécessaire à la disposition, et non pas au choix du sujet, ni des incidents qui sont appuyés de l'histoire. Tout ce qui entre dans le poëme doit être croyable; et il l'est, selon Aristote, par l'un de ces trois moyens, la vérité, la vraisemblance, ou l'opinion commune. J'irai plus outre; et quoique peut-être on voudra prendre cette proposition pour un paradoxe, je ne craindrai pas d'avancer que le sujet d'une belle tragédie doit n'être pas vraisemblable. La preuve en est aisée par le même Aristote, qui ne veut pas qu'on en compose une d'un ennemi qui tue son ennemi, parce que, bien que cela soit fort vraisemblable, il n'excite dans l'âme des spectateurs ni pitié ni crainte, qui sont les deux passions de la tragédie; mais il nous renvoie la choisir dans les événements extraordinaires qui se passent entre personnes proches, comme d'un père qui tue son fils, une femme son mari, un frère sa sœur; ce qui, n'étant jamais vraisemblable, doit avoir l'autorité de l'histoire ou de l'opinion commune pour être cru : si bien qu'il n'est pas permis d'inventer un sujet de cette nature. C'est la raison qu'il donne de ce que les anciens traitaient presque mêmes sujets, d'autant qu'ils rencontraient peu de familles où fussent arrivés de pareils désordres, qui font les belles et puissantes oppositions du devoir et de la passion.

Ce n'est pas ici le lieu de m'étendre plus au long sur cette matière : j'en ai dit ces deux mots en passant, par une nécessité de me défendre d'une objection qui détruirait tout mon ouvrage, puisqu'elle va en saper le fondement, et non par ambition d'étaler mes maximes, qui peut-être ne sont pas généralement avouées des savants. Aussi ne donné-je ici mes opinions qu'à la mode de M. de Montaigne, non pour bonnes, mais pour miennes[4]. Je m'en suis bien trouvé jusqu'à présent; mais je ne tiens pas impossible qu'on réussisse mieux en suivant les contraires.

EXAMEN

Cette tragédie a encore plus d'efforts d'invention que celle de *Rodogune*, et je puis dire que c'est un heureux original dont il s'est fait beaucoup de belles copies sitôt qu'il a paru. Sa conduite diffère de celle-là, en ce que les narrations qui lui donnent jour sont pratiquées par occasion en divers lieux avec adresse, et toujours dites et écoutées avec intérêt, sans qu'il y en aye pas une de sang-froid comme celle de Laonice. Elles sont éparses ici dans tout le poëme et ne font connaître à la fois que ce qu'il est besoin qu'on sache pour l'intelligence de la scène qui suit. Ainsi, dès la première, Phocas, alarmé du bruit qui court qu'Héraclius est vivant, récite les particularités de sa mort pour montrer la fausseté de ce bruit; et Crispe, son gendre, en lui proposant un remède aux troubles qu'il appréhende, fait connaître comme en perdant toute la famille de Maurice, il a réservé Pulchérie pour la faire épouser à son fils Martian, et le pousse d'autant plus à presser ce mariage, que ce prince court chaque jour de grands périls à la guerre, et que sans Léonce il fût demeuré au dernier combat. C'est par là qu'il instruit les auditeurs de l'obligation qu'a le vrai Héraclius, qui passe pour Martian, au vrai Martian, qui passe pour Léonce; et cela sert de fondement à l'offre volontaire qu'il fait de sa vie au quatrième acte, pour le sauver du péril où l'expose cette erreur des noms. Sur cette proposition, Phocas, se plaignant de l'aversion que les deux parties témoignent à ce mariage, impute celle de Pulchérie à l'instruction qu'elle a reçue de sa mère, et apprend ainsi aux spectateurs, comme en passant, qu'il l'a laissée trop vivre après la mort de l'empereur Maurice, son mari. Il fallait tout cela pour faire entendre la scène qui suit entre Pulchérie et lui; mais je n'ai pu avoir assez d'adresse pour faire entendre les équivoques ingénieux dont est rempli tout ce que dit Héraclius à la fin de ce premier acte; et on ne les peut comprendre que par une réflexion après que la pièce est finie, et qu'il est entièrement reconnu, ou dans une seconde représentation.

Surtout la manière dont Eudoxe fait connaître, au second acte, le double échange que sa mère a fait des deux princes, est une des choses les plus spirituelles qui soient sorties de ma plume. Léontine l'accuse d'avoir révélé le secret d'Héraclius et d'être cause du bruit qui court, qui le met en péril de sa vie; pour s'en justifier, elle explique tout ce qu'elle en sait, et conclut que puisqu'on n'en publie pas tant, il faut que ce bruit ait pour auteur quelqu'un qui n'en sache pas tant qu'elle. Il est vrai que cette narration est si courte, qu'elle laisserait beaucoup d'obscurité si Héraclius ne s'expliquait plus au long, au quatrième acte, quand il est besoin que cette vérité fasse son plein effet; mais elle n'en pouvait pas dire davantage à une personne qui savait cette histoire mieux qu'elle, et ce peu qu'elle en dit suffit à jeter une lumière imparfaite de ces échanges, qu'il n'est pas besoin alors d'éclaircir plus entièrement.

L'artifice de la dernière scène de ce quatrième acte passe encore celui-ci : Exupère y fait connaître tout son dessein à Léontine, mais d'une façon qui n'empêche point cette femme avisée de le soupçonner de fourberie, et de n'avoir autre dessein que de tirer d'elle le secret d'Héraclius pour le perdre. L'auditeur lui-même en demeure dans la défiance, et ne sait qu'en juger; mais après que la conspiration a eu son effet par la mort de Phocas, cette confidence anticipée exempte Exupère de se purger de tous les justes soupçons qu'on avait eus de lui, et délivre l'auditeur d'un récit qui lui aurait été fort ennuyeux après le dénouement de la pièce, où toute la patience que peut avoir sa curiosité se borne à savoir qui est le vrai Héraclius des deux qui prétendent l'être.

Le stratagème d'Exupère, avec toute son industrie, a quelque chose un peu délicat, et d'une nature à ne se faire qu'au théâtre, où l'auteur est maître des événements qu'il tient dans sa main, et non pas dans la vie civile, où les hommes en disposent selon leurs intérêts et leur pouvoir. Quand il découvre Héraclius à Phocas, et le fait arrêter prisonnier, son intention eſt fort bonne, et lui réussit; mais il n'y avait que moi qui lui pût répondre du succès. Il acquiert la confiance du tyran par là, et se fait remettre entre les mains la garde d'Héraclius et sa conduite au supplice; mais le contraire pouvait arriver; et Phocas, au lieu de déférer à ses avis qui le résolvent à faire couper la tête à ce prince en place publique, pouvait s'en défaire sur l'heure, et se défier de lui et de ses amis, comme de gens qu'il avait offensés et dont il ne devait jamais espérer un zèle bien sincère à le servir. La mutinerie qu'il excite, dont il lui amène les chefs comme prisonniers pour le poignarder, eſt imaginée avec juſtesse; mais jusque-là toute sa conduite eſt de ces choses qu'il faut souffrir au théâtre, parce qu'elles ont un éclat dont la surprise éblouit, et qu'il ne ferait pas bon tirer en exemple pour conduire une aćtion véritable sur leur plan.

Je ne sais si on voudra me pardonner d'avoir fait une pièce d'invention sous des noms véritables; mais je ne crois pas qu'Aristote le défende, et j'en trouve assez d'exemples chez les anciens. Les deux *Eleſtre* de Sophocle et d'Euripide aboutissent à la même aćtion par des moyens si divers, qu'il faut de nécessité que l'une des deux soit entièrement inventée; l'*Iphigénie in Tauris* a la mine d'être de même nature; et l'*Hélène,* où Euripide suppose qu'elle n'a jamais été à Troie, et que Pâris n'y a enlevé qu'un fantôme qui lui ressemblait, ne peut avoir aucune aćtion épisodique ni principale qui ne parte de la seule imagination de son auteur.

Je n'ai conservé ici, pour toute vérité hiſtorique, que l'ordre de la succession des empereurs Tibère, Maurice, Phocas et Héraclius. J'ai falsifié la naissance de ce dernier, pour lui en donner une plus illuſtre, en le faisant fils de Maurice, bien qu'il ne le fût que d'un préteur d'Afrique qui portait même nom que lui. J'ai prolongé de douze ans la durée de l'empire de Phocas, et lui ai donné Martian pour fils, quoique l'hiſtoire ne parle que d'une fille nommée Domitia, qu'il maria à Crispe, dont je fais un de mes personnages. Ce fils et Héraclius, qui sont confondus l'un avec l'autre par les échanges de Léontine, n'auraient pas été en état d'agir, si je ne l'eusse fait régner que les huit ans qu'il régna, puisque, pour faire ces échanges, il fallait qu'ils fussent tous deux au berceau quand il commença de régner. C'eſt par cette même raison que j'ai prolongé la vie de l'impératrice Conſtantine, que je n'ai fait mourir qu'en la quinzième année de sa tyrannie, bien qu'il l'eût immolée à sa sûreté dès la cinquième; et je l'ai fait afin qu'elle pût avoir une fille capable de recevoir ses inſtrućtions en mourant, et d'un âge proportionné à celui du prince qu'on lui voulait faire épouser.

La supposition que fait Léontine d'un de ses fils, pour mourir au lieu d'Héraclius, n'eſt point vraisemblable; mais elle eſt hiſtorique, et n'a point besoin de vraisemblance, puisqu'elle a l'appui de la vérité, qui la rend croyable, quelque répugnance qu'y veuillent apporter les difficiles. Baronius attribue cette action à une nourrice; et je l'ai trouvée assez généreuse pour la faire produire à une personne plus illustre, et qui soutient mieux la dignité du théâtre. L'empereur Maurice reconnut cette supposition, et l'empêcha d'avoir son effet, pour ne s'opposer pas au juste jugement de Dieu, qui voulait exterminer toute sa famille; mais quant à ce qui est de la mère, elle avait surmonté l'affection maternelle en faveur de son prince; et comme on pouvait dire que son fils était mort pour son regard, je me suis cru assez autorisé par ce qu'elle avait voulu faire à rendre cet échange effectif, et à le faire servir de fondement aux nouveautés surprenantes de ce sujet.

Il lui faut la même indulgence pour l'unité de lieu qu'à *Rodogune*. La plupart des poëmes qui suivent en ont besoin, et je me dispenserai de le répéter en les examinant. L'unité de jour n'a rien de violenté, et l'action se pourrait passer en cinq ou six heures; mais le poëme est si embarrassé qu'il demande une merveilleuse attention. J'ai vu de fort bons esprits, et des personnes des plus qualifiées de la cour, se plaindre de ce que sa représentation fatiguait autant l'esprit qu'une étude sérieuse. Elle n'a pas laissé de plaire; mais je crois qu'il l'a fallu voir plus d'une fois pour en remporter une entière intelligence.

ACTEURS

PHOCAS, *Empereur d'Orient.*
HÉRACLIUS, *Fils de l'empereur Maurice, cru Martian, fils de Phocas, amant d'Eudoxe.*
MARTIAN, *Fils de Phocas, cru Léonce, fils de Léontine, amant de Pulchérie.*
PULCHÉRIE, *Fille de l'empereur Maurice, maîtresse de Martian.*
LÉONTINE, *Dame de Constantinople, autrefois gouvernante d'Héraclius et de Martian.*
EUDOXE, *Fille de Léontine, et maîtresse d'Héraclius.*
CRISPE, *Gendre de Phocas.*
EXUPÈRE, *Patricien de Constantinople.*
AMINTAS, *Ami d'Exupère.*
UN PAGE *de Léontine.*

La scène est à Constantinople.

ACTE PREMIER

SCÈNE PREMIÈRE

Phocas, Crispe

Phocas

Crispe, il n'est que trop vrai, la plus belle couronne
N'a que de faux brillants dont l'éclat l'environne;
Et celui dont le ciel pour un sceptre fait choix,
Jusqu'à ce qu'il le porte, en ignore le poids.
Mille et mille douceurs y semblent attachées,
Qui ne sont qu'un amas d'amertumes cachées :
Qui croit les posséder les sent s'évanouir,
Et la peur de les perdre empêche d'en jouir :
Surtout qui, comme moi, d'une obscure naissance
Monte par la révolte à la toute-puissance,
Qui de simple soldat à l'empire élevé
Ne l'a que par le crime acquis et conservé.
Autant que sa fureur s'est immolé de têtes,
Autant dessus la sienne il croit voir de tempêtes;
Et comme il n'a semé qu'épouvante et qu'horreur,
Il n'en recueille enfin que trouble et que terreur.
J'en ai semé beaucoup; et depuis quatre lustres
Mon trône n'est fondé que sur des morts illustres;
Et j'ai mis au tombeau, pour régner sans effroi,
Tout ce que j'en ai vu de plus digne que moi.
Mais le sang répandu de l'empereur Maurice,
Ses cinq fils à ses yeux envoyés au supplice,
En vain en ont été les premiers fondements,
Si pour m'ôter ce trône ils servent d'instruments
On en fait revivre un au bout de vingt années :
Byzance ouvre, dis-tu, l'oreille à ces menées;
Et le peuple, amoureux de tout ce qui me nuit,
D'une croyance avide embrasse ce faux bruit,
Impatient déjà de se laisser séduire
Au premier imposteur armé pour me détruire,

Qui s'osant revêtir de ce fantôme aimé,
Voudra servir d'idole à son zèle charmé.
Mais sais-tu sous quel nom ce fâcheux bruit s'excite?

CRISPE

Il nomme Héraclius celui qu'il ressuscite.

PHOCAS

Quiconque en eſt l'auteur devait mieux l'inventer :
Le nom d'Héraclius doit peu m'épouvanter;
Sa mort eſt trop certaine, et fut trop remarquable,
Pour craindre un grand effet d'une si vaine fable.
Il n'avait que six mois; et lui perçant le flanc,
On en fit dégoutter plus de lait que de sang;
Et ce prodige affreux, dont je tremblai dans l'âme,
Fut aussitôt suivi de la mort de ma femme.
Il me souvient encor qu'il fut deux jours caché,
Et que sans Léontine on l'eût longtemps cherché :
Il fut livré par elle, à qui, pour récompense,
Je donnai de mon fils à gouverner l'enfance,
Du jeune Martian, qui d'âge presque égal,
Était reſté sans mère en ce moment fatal.
Juge par là combien ce conte eſt ridicule.

CRISPE

Tout ridicule, il plaît, et le peuple eſt crédule;
Mais avant qu'à ce conte il se laisse emporter,
Il vous eſt trop aisé de le faire avorter.
Quand vous fîtes périr Maurice et sa famille,
Il vous en plut, Seigneur, réserver une fille,
Et résoudre dès lors qu'elle aurait pour époux
Ce prince deſtiné pour régner après vous.
Le peuple en sa personne aime encore et révère
Et son père Maurice et son aïeul Tibère,
Et vous verra sans trouble en occuper le rang,
S'il voit tomber leur sceptre au reſte de leur sang.
Non, il ne courra plus après l'ombre du frère,
S'il voit monter la sœur dans le trône du père.
Mais pressez cet hymen : le Prince aux champs de Mars,
Chaque jour, chaque inſtant, s'offre à mille hasards;
Et n'eût été Léonce, en la dernière guerre,
Ce dessein avec lui serait tombé par terre,
Puisque sans la valeur de ce jeune guerrier,

Martian demeurait ou mort ou prisonnier.
Avant que d'y périr, s'il faut qu'il y périsse,
Qu'il vous laisse un neveu qui le soit de Maurice,
Et qui réunissant l'une et l'autre maison,
Tire chez vous l'amour qu'on garde pour son nom.

PHOCAS

Hélas ! de quoi me sert ce dessein salutaire,
Si pour en voir l'effet tout me devient contraire?
Pulchérie et mon fils ne se montrent d'accord
Qu'à fuir cet hyménée à l'égal de la mort;
Et les aversions entre eux deux mutuelles
Les font d'intelligence à se montrer rebelles.
La Princesse surtout frémit à mon aspect;
Et quoiqu'elle étudie un peu de faux respect,
Le souvenir des siens, l'orgueil de sa naissance,
L'emporte à tous moments à braver ma puissance
Sa mère, que longtemps je voulus épargner,
Et qu'en vain par douceur j'espérai de gagner,
L'a de la sorte instruite; et ce que je vois suivre
Me punit bien du trop que je la laissai vivre.

CRISPE

Il faut agir de force avec de tels esprits,
Seigneur; et qui les flatte endurcit leurs mépris :
La violence est juste où la douceur est vaine.

PHOCAS

C'est par là qu'aujourd'hui je veux dompter sa haine.
Je l'ai mandée exprès, non plus pour la flatter,
Mais pour prendre mon ordre et pour l'exécuter.

CRISPE

Elle entre.

SCÈNE II

PHOCAS, PULCHÉRIE, CRISPE

PHOCAS

Enfin, Madame, il est temps de vous rendre :
Le besoin de l'État défend de plus attendre;

Il lui faut des Césars, et je me suis promis
D'en voir naître bientôt de vous et de mon fils.
Ce n'eſt pas exiger grande reconnaissance
Des soins que mes bontés ont pris de votre enfance,
De vouloir qu'aujourd'hui, pour prix de mes bienfaits,
Vous daigniez accepter les dons que je vous fais.
Ils ne font point de honte au rang le plus sublime;
Ma couronne et mon fils valent bien quelque eſtime :
Je vous les offre encore après tant de refus;
Mais apprenez aussi que je n'en souffre plus,
Que de force ou de gré je me veux satisfaire,
Qu'il me faut craindre en maître, ou me chérir en père,
Et que si votre orgueil s'obſtine à me haïr,
Qui ne peut être aimé se peut faire obéir.

PULCHÉRIE

J'ai rendu jusqu'ici cette reconnaissance
A ces soins tant vantés d'élever mon enfance,
Que tant qu'on m'a laissée en quelque liberté,
J'ai voulu me défendre avec civilité;
Mais puisqu'on use enfin d'un pouvoir tyrannique,
Je vois bien qu'à mon tour il faut que je m'explique,
Que je me montre entière à l'injuſte fureur,
Et parle à mon tyran en fille d'empereur.
Il fallait me cacher avec quelque artifice
Que j'étais Pulchérie et fille de Maurice,
Si tu faisais dessein de m'éblouir les yeux
Jusqu'à prendre tes dons pour des dons précieux.
Vois quels sont ces présents, dont le refus t'étonne :
Tu me donnes, dis-tu, ton fils et ta couronne;
Mais que me donnes-tu, puisque l'une eſt à moi,
Et l'autre en eſt indigne, étant sorti de toi?
Ta libéralité me fait peine à comprendre :
Tu parles de donner, quand tu ne fais que rendre;
Et puisqu'avecque moi tu veux le couronner,
Tu ne me rends mon bien que pour te le donner.
Tu veux que cet hymen que tu m'oses prescrire
Porte dans ta maison les titres de l'empire,
Et de cruel tyran, d'infâme ravisseur,
Te fasse vrai monarque, et juſte possesseur.
Ne reproche donc plus à mon âme indignée
Qu'en perdant tous les miens tu m'as seule épargnée :
Cette feinte douceur, cette ombre d'amitié,

Vint de ta politique, et non de ta pitié.
Ton intérêt dès lors fit seul cette réserve :
Tu m'as laissé la vie, afin qu'elle te serve;
Et mal sûr dans un trône où tu crains l'avenir,
Tu ne m'y veux placer que pour t'y maintenir;
Tu ne m'y fais monter que de peur d'en descendre;
Mais connais Pulchérie, et cesse de prétendre.
Je sais qu'il m'appartient, ce trône où tu te sieds,
Que c'est à moi d'y voir tout le monde à mes pieds;
Mais comme il est encor teint du sang de mon père,
S'il n'est lavé du tien, il ne saurait me plaire;
Et ta mort, que mes vœux s'efforcent de hâter,
Est l'unique degré par où j'y veux monter :
Voilà quelle je suis, et quelle je veux être.
Qu'un autre t'aime en père, ou te redoute en maître,
Le cœur de Pulchérie est trop haut et trop franc
Pour craindre ou pour flatter le bourreau de son sang.

PHOCAS

J'ai forcé ma colère à te prêter silence,
Pour voir à quel excès irait ton insolence :
J'ai vu ce qui t'abuse et me fait mépriser,
Et t'aime encore assez pour te désabuser.
N'estime plus mon sceptre usurpé sur ton père,
Ni que pour l'appuyer ta main soit nécessaire.
Depuis vingt ans je règne, et je règne sans toi;
Et j'en eus tout le droit du choix qu'on fit de moi.
Le trône où je me sieds n'est pas un bien de race :
L'armée a ses raisons pour remplir cette place;
Son choix en est le titre; et tel est notre sort
Qu'une autre élection nous condamne à la mort.
Celle qu'on fit de moi fut l'arrêt de Maurice;
J'en vis avec regret le triste sacrifice :
Au repos de l'État il fallut l'accorder;
Mon cœur, qui résistait, fut contraint de céder;
Mais pour remettre un jour l'empire en sa famille,
Je fis ce que je pus, je conservai sa fille,
Et sans avoir besoin de titre ni d'appui,
Je te fais part d'un bien qui n'était plus à lui.

PULCHÉRIE

Un chétif centenier des troupes de Mysie,
Qu'un gros de mutinés élut par fantaisie,

Oser arrogamment se vanter à mes yeux
D'être juste seigneur du bien de mes aïeux !
Lui qui n'a pour l'empire autre droit que ses crimes,
Lui qui de tous les miens fit autant de victimes,
Croire s'être lavé d'un si noir attentat
En imputant leur perte au repos de l'État !
Il fait plus, il me croit digne de cette excuse !
Souffre, souffre à ton tour que je te désabuse :
Apprends que si jadis quelques séditions
Usurpèrent le droit de ces élections,
L'empire était chez nous un bien héréditaire;
Maurice ne l'obtint qu'en gendre de Tibère;
Et l'on voit depuis lui remonter mon destin
Jusqu'au grand Théodose, et jusqu'à Constantin;
Et je pourrais avoir l'âme assez abattue...

PHOCAS

Eh bien ! si tu le veux, je te le restitue,
Cet empire, et consens encore que ta fierté
Impute à mes remords l'effet de ma bonté.
Dis que je te le rends et te fais des caresses,
Pour apaiser des tiens les ombres vengeresses,
Et tout ce qui pourra sous quelque autre couleur
Autoriser ta haine et flatter ta douleur;
Pour un dernier effort je veux souffrir la rage
Qu'allume dans ton cœur cette sanglante image.
Mais que t'a fait mon fils ? était-il, au berceau,
Des tiens que je perdis le juge ou le bourreau ?
Tant de vertus qu'en lui le monde entier admire
Ne l'ont-elles pas fait trop digne de l'empire ?
En ai-je eu quelque espoir qu'il n'aye assez rempli ?
Et voit-on sous le ciel prince plus accompli ?
Un cœur comme le tien, si grand, si magnanime...

PULCHÉRIE

Va, je ne confonds point ses vertus et ton crime;
Comme ma haine est juste et ne m'aveugle pas,
J'en vois assez en lui pour les plus grands États;
J'admire chaque jour les preuves qu'il en donne;
J'honore sa valeur, j'estime sa personne,
Et penche d'autant plus à lui vouloir du bien,
Que s'en voyant indigne il ne demande rien,
Que ses longues froideurs témoignent qu'il s'irrite

De ce qu'on veut de moi par delà son mérite,
Et que de tes projets son cœur triste et confus
Pour m'en faire justice approuve mes refus.
Ce fils si vertueux d'un père si coupable,
S'il ne devait régner, me pourrait être aimable;
Et cette grandeur même où tu veux le porter
Est l'unique motif qui m'y fait résister.
Après l'assassinat de ma famille entière,
Quand tu ne m'as laissé père, mère, ni frère,
Que j'en fasse ton fils légitime héritier!
Que j'assure par là leur trône au meurtrier!
Non, non : si tu me crois le cœur si magnanime
Qu'il ose séparer ses vertus de ton crime,
Sépare tes présents, et ne m'offre aujourd'hui
Que ton fils sans le sceptre, ou le sceptre sans lui.
Avise; et si tu crains qu'il te fût trop infâme
De remettre l'empire en la main d'une femme,
Tu peux dès aujourd'hui le voir mieux occupé :
Le ciel me rend un frère à ta rage échappé;
On dit qu'Héraclius est tout près de paraître :
Tyran, descends du trône, et fais place à ton maître.

PHOCAS

A ce compte, arrogante, un fantôme nouveau,
Qu'un murmure confus fait sortir du tombeau,
Te donne cette audace et cette confiance!
Ce bruit s'est fait déjà digne de ta croyance.
Mais...

PULCHÉRIE

Je sais qu'il est faux; pour t'assurer ce rang
Ta rage eut trop de soin de verser tout mon sang;
Mais la soif de ta perte en cette conjoncture
Me fait aimer l'auteur d'une belle imposture.
Au seul nom de Maurice il te fera trembler :
Puisqu'il se dit son fils, il veut lui ressembler;
Et cette ressemblance où son courage aspire
Mérite mieux que toi de gouverner l'empire.
J'irai par mon suffrage affermir cette erreur,
L'avouer pour mon frère et pour mon empereur,
Et dedans son parti jeter tout l'avantage
Du peuple convaincu par mon premier hommage.
Toi, si quelque remords te donne un juste effroi,

Sors du trône, et te laisse abuser comme moi :
Prends cette occasion de te faire justice.

PHOCAS

Oui, je me la ferai bientôt par ton supplice :
Ma bonté ne peut plus arrêter mon devoir;
Ma patience a fait par delà son pouvoir.
Qui se laisse outrager mérite qu'on l'outrage;
Et l'audace impunie enfle trop un courage.
Tonne, menace, brave, espère en de faux bruits,
Fortifie, affermis ceux qu'ils auront séduits;
Dans ton âme à ton gré change ma destinée;
Mais choisis pour demain la mort ou l'hyménée.

PULCHÉRIE

Il n'est pas pour ce choix besoin d'un grand effort
A qui hait l'hyménée et ne craint point la mort.

En ces deux scènes, Héraclius passe pour Martian, et Martian pour Léonce. Héraclius se connaît, mais Martian ne se connaît pas.

SCÈNE III

PHOCAS, PULCHÉRIE, HÉRACLIUS, CRISPE

PHOCAS, *à Pulchérie.*

Dis, si tu veux encor, que ton cœur la souhaite.
(A Héraclius.)
Approche, Martian, que je te le répète :
Cette ingrate furie, après tant de mépris,
Conspire encor la perte et du père et du fils;
Elle-même a semé cette erreur populaire
D'un faux Héraclius qu'elle accepte pour frère;
Mais quoi qu'à ces mutins elle puisse imposer,
Demain ils la verront mourir, ou t'épouser.

HÉRACLIUS

Seigneur...

PHOCAS

Garde sur toi d'attirer ma colère.

HÉRACLIUS

Dussé-je mal user de cet amour de père,
Étant ce que je suis, je me dois quelque effort
Pour vous dire, Seigneur, que c'est vous faire tort,
Et que c'est trop montrer d'injuste défiance
De ne pouvoir régner que par son alliance :
Sans prendre un nouveau droit du nom de son époux,
Ma naissance suffit pour régner après vous[5].
J'ai du cœur, et tiendrais l'empire même infâme,
S'il fallait le tenir de la main d'une femme.

PHOCAS

Eh bien ! elle mourra, tu n'en as pas besoin.

HÉRACLIUS

De vous-même, Seigneur, daignez mieux prendre soin.
Le peuple aime Maurice : en perdre ce qui reste
Nous rendrait ce tumulte au dernier point funeste.
Au nom d'Héraclius à demi soulevé,
Vous verriez par sa mort le désordre achevé.
Il vaut mieux la priver du rang qu'elle rejette,
Faire régner une autre, et la laisser sujette;
Et d'un parti plus bas punissant son orgueil...

PHOCAS

Quand Maurice peut tout du creux de son cercueil,
A ce fils supposé, dont il me faut défendre,
Tu parles d'ajouter un véritable gendre !

HÉRACLIUS

Seigneur, j'ai des amis chez qui cette moitié...

PHOCAS

A l'épreuve d'un sceptre il n'est point d'amitié,
Point qui ne s'éblouisse à l'éclat de sa pompe,
Point qu'après son hymen sa haine ne corrompe.
Elle mourra, te dis-je.

PULCHÉRIE

Ah ! ne m'empêchez pas
De rejoindre les miens par un heureux trépas.

La vapeur de mon sang ira grossir la foudre
Que Dieu tient déjà prête à le réduire en poudre;
Et ma mort, en servant de comble à tant d'horreurs...

PHOCAS

Par ses remercîments juge de ses fureurs.
J'ai prononcé l'arrêt, il faut que l'effet suive.
Résous-la de t'aimer, si tu veux qu'elle vive;
Sinon, j'en jure encore et ne t'écoute plus,
Son trépas dès demain punira ses refus.

SCÈNE IV

PULCHÉRIE, HÉRACLIUS, MARTIAN

HÉRACLIUS

En vain il se promet que sous cette menace
J'espère en votre cœur surprendre quelque place :
Votre refus est juste, et j'en sais les raisons.
Ce n'est pas à nous deux d'unir les deux maisons;
D'autres destins, Madame, attendent l'un et l'autre :
Ma foi m'engage ailleurs aussi bien que la vôtre.
Vous aurez en Léonce un digne possesseur;
Je serai trop heureux d'en posséder la sœur.
Ce guerrier vous adore, et vous l'aimez de même;
Je suis aimé d'Eudoxe autant comme je l'aime;
Léontine leur mère est propice à nos vœux;
Et quelque effort qu'on fasse à rompre ces beaux nœuds,
D'un amour si parfait les chaînes sont si belles,
Que nos captivités doivent être éternelles.

PULCHÉRIE

Seigneur, vous connaissez ce cœur infortuné :
Léonce y peut beaucoup; vous me l'avez donné,
Et votre main illustre augmente le mérite
Des vertus dont l'éclat pour lui me sollicite;
Mais à d'autres pensers il me faut recourir :
Il n'est plus temps d'aimer alors qu'il faut mourir;
Et quand à ce départ une âme se prépare...

HÉRACLIUS

Redoutez un peu moins les rigueurs d'un barbare :
Pardonnez-moi ce mot; pour vous servir d'appui
J'ai peine à reconnaître encore un père en lui.
Résolu de périr pour vous sauver la vie,
Je sens tous mes respects céder à cette envie :
Je ne suis plus son fils, s'il en veut à vos jours,
Et mon cœur tout entier vole à votre secours.

PULCHÉRIE

C'est donc avec raison que je commence à craindre,
Non la mort, non l'hymen où l'on me veut contraindre,
Mais ce péril extrême où pour me secourir
Je vois votre grand cœur aveuglément courir.

MARTIAN

Ah ! mon Prince, ah ! Madame, il vaut mieux vous ré-
Par un heureux hymen, à dissiper ce foudre. [soudre,
Au nom de votre amour et de votre amitié,
Prenez de votre sort tous deux quelque pitié.
Que la vertu du fils, si pleine et si sincère,
Vainque la juste horreur que vous avez du père,
Et pour mon intérêt n'exposez pas tous deux...

HÉRACLIUS

Que me dis-tu, Léonce? et qu'est-ce que tu veux?
Tu m'as sauvé la vie; et pour reconnaissance
Je voudrais à tes feux ôter leur récompense;
Et ministre insolent d'un prince furieux,
Couvrir de cette honte un nom si glorieux :
Ingrat à mon ami, perfide à ce que j'aime,
Cruel à la Princesse, odieux à moi-même !
Je te connais, Léonce, et mieux que tu ne crois;
Je sais ce que tu vaux, et ce que je te dois.
Son bonheur est le mien, Madame; et je vous donne
Léonce et Martian en la même personne :
C'est Martian en lui que vous favorisez.
Opposons la constance aux périls opposés.
Je vais près de Phocas essayer la prière;
Et si je n'obtiens pas la grâce tout entière,
Malgré le nom de père et le titre de fils,
Je deviens le plus grand de tous ses ennemis.
Oui, si sa cruauté s'obstine à votre perte,

J'irai pour l'empêcher jusqu'à la force ouverte;
Et puisse, si le ciel m'y voit rien épargner,
Un faux Héraclius à ma place régner !
Adieu, Madame.

PULCHÉRIE

Adieu, prince trop magnanime,
(Héraclius s'en va, et Pulchérie continue.)
Prince digne en effet d'un trône acquis sans crime,
Digne d'un autre père. Ah ! Phocas, ah ! tyran,
Se peut-il que ton sang ait formé Martian?
Mais allons, cher Léonce, admirant son courage,
Tâcher de notre part à repousser l'orage.
Tu t'es fait des amis, je sais des mécontents;
Le peuple est ébranlé, ne perdons point de temps :
L'honneur te le commande, et l'amour t'y convie[6].

MARTIAN

Pour otage en ses mains ce tigre a votre vie;
Et je n'oserai rien qu'avec un juste effroi
Qu'il ne venge sur vous ce qu'il craindra de moi.

PULCHÉRIE

N'importe; à tout oser le péril doit contraindre.
Il ne faut craindre rien quand on a tout à craindre.
Allons examiner pour ce coup généreux
Les moyens les plus prompts et les moins dangereux.

ACTE II

SCÈNE PREMIÈRE

LÉONTINE, EUDOXE

LÉONTINE

VOILÀ ce que j'ai craint de son âme enflammée.

EUDOXE

S'il m'eût caché son sort, il m'aurait mal aimée.

LÉONTINE

Avec trop d'imprudence il vous l'a révélé :
Vous êtes fille, Eudoxe, et vous avez parlé;
Vous n'avez pu savoir cette grande nouvelle
Sans la dire à l'oreille à quelque âme infidèle,
A quelque esprit léger, ou de votre heur jaloux,
A qui ce grand secret a pesé comme à vous.
C'est par là qu'il est su, c'est par là qu'on publie
Ce prodige étonnant d'Héraclius en vie;
C'est par là qu'un tyran, plus instruit que troublé
De l'ennemi secret qui l'aurait accablé,
Ajoutera bientôt sa mort à tant de crimes,
Et se sacrifiera pour nouvelles victimes
Ce prince dans son sein pour son fils élevé,
Vous qu'adore son âme, et moi qui l'ai sauvé.
Voyez combien de maux pour n'avoir su vous taire !

EUDOXE

Madame, mon respect souffre tout d'une mère,
Qui pour peu qu'elle veuille écouter la raison,
Ne m'accusera plus de cette trahison;
Car c'en est une enfin bien digne de supplice
Qu'avoir d'un tel secret donné le moindre indice.

LÉONTINE

Et qui donc aujourd'hui le fait connaître à tous?
Est-ce le Prince, ou moi?

EUDOXE

Ni le Prince, ni vous.
De grâce examinez ce bruit qui vous alarme.
On dit qu'il est en vie, et son nom seul les charme :
On ne dit point comment vous trompâtes Phocas,
Livrant un de vos fils pour ce prince au trépas,
Ni comme après, du sien étant la gouvernante,
Par une tromperie encor plus importante,
Vous en fîtes l'échange, et prenant Martian,
Vous laissâtes pour fils ce prince à son tyran :
En sorte que le sien passe ici pour mon frère,
Cependant que de l'autre il croit être le père,
Et voit en Martian Léonce qui n'est plus,
Tandis que sous ce nom il aime Héraclius[7].
On dirait tout cela si par quelque imprudence
Il m'était échappé d'en faire confidence;
Mais pour toute nouvelle on dit qu'il est vivant;
Aucun n'ose pousser l'histoire plus avant.
Comme ce sont pour tous des routes inconnues,
Il semble à quelques-uns qu'il doit tomber des nues;
Et j'en sais tel qui croit, dans sa simplicité,
Que pour punir Phocas, Dieu l'a ressuscité.
Mais le voici.

SCÈNE II

HÉRACLIUS, LÉONTINE, EUDOXE

HÉRACLIUS

Madame, il n'est plus temps de taire
D'un si profond secret le dangereux mystère :
Le tyran, alarmé du bruit qui le surprend,
Rend ma crainte trop juste, et le péril trop grand;
Non que de ma naissance il fasse conjecture;
Au contraire, il prend tout pour grossière imposture,
Et me connaît si peu, que pour la renverser,
A l'hymen qu'il souhaite il prétend me forcer.

Il m'oppose à mon nom qui le vient de surprendre :
Je suis fils de Maurice; il m'en veut faire gendre,
Et s'acquérir les droits d'un prince si chéri
En me donnant moi-même à ma sœur pour mari.
En vain nous résistons à son impatience,
Elle par haine aveugle, et moi par connaissance :
Lui, qui ne conçoit rien de l'obstacle éternel
Qu'oppose la nature à ce nœud criminel,
Menace Pulchérie, au refus obstinée,
Lui propose à demain la mort ou l'hyménée.
J'ai fait pour le fléchir un inutile effort :
Pour éviter l'inceste, elle n'a que la mort.
Jugez s'il n'est pas temps de montrer qui nous sommes,
De cesser d'être fils du plus méchant des hommes,
D'immoler mon tyran aux périls de ma sœur,
Et de rendre à mon père un juste successeur.

LÉONTINE

Puisque vous ne craignez que sa mort ou l'inceste,
Je rends grâce, Seigneur, à la bonté céleste
De ce qu'en ce grand bruit le sort nous est si doux
Que nous n'avons encor rien à craindre pour vous.
Votre courage seul nous donne lieu de craindre :
Modérez-en l'ardeur, daignez vous y contraindre;
Et puisqu'aucun soupçon ne dit rien à Phocas,
Soyez encor son fils, et ne vous montrez pas.
De quoi que ce tyran menace Pulchérie,
J'aurai trop de moyens d'arrêter sa furie,
De rompre cet hymen, ou de le retarder,
Pourvu que vous veuillez ne vous point hasarder.
Répondez-moi de vous, et je vous réponds d'elle.

HÉRACLIUS

Jamais l'occasion ne s'offrira si belle :
Vous voyez un grand peuple à demi révolté,
Sans qu'on sache l'auteur de cette nouveauté;
Il semble que de Dieu la main appesantie,
Se faisant du tyran l'effroyable partie,
Veuille avancer par là son juste châtiment;
Que par un si grand bruit semé confusément,
Il dispose les cœurs à prendre un nouveau maître,
Et presse Héraclius de se faire connaître.
C'est à nous de répondre à ce qu'il en prétend :

Montrons Héraclius au peuple qui l'attend;
Évitons le hasard qu'un imposteur l'abuse,
Et qu'après s'être armé d'un nom que je refuse,
De mon trône, à Phocas sous ce titre arraché,
Il puisse me punir de m'être trop caché.
Il ne sera pas temps, Madame, de lui dire
Qu'il me rende mon nom, ma naissance et l'empire,
Quand il se prévaudra de ce nom déjà pris,
Pour me joindre au tyran dont je passe pour fils.

LÉONTINE

Sans vous donner pour chef à cette populace,
Je romprai bien encor ce coup, s'il vous menace;
Mais gardons jusqu'au bout ce secret important :
Fiez-vous plus à moi qu'à ce peuple inconstant.
Ce que j'ai fait pour vous depuis votre naissance,
Semble digne, Seigneur, de cette confiance :
Je ne laisserai point mon ouvrage imparfait,
Et bientôt mes desseins auront leur plein effet.
Je punirai Phocas, je vengerai Maurice;
Mais aucun n'aura part à ce grand sacrifice :
J'en veux toute la gloire, et vous me la devez.
Vous régnerez par moi, si par moi vous vivez.
Laissez entre mes mains mûrir vos destinées,
Et ne hasardez point le fruit de vingt années.

EUDOXE

Seigneur, si votre amour peut écouter mes pleurs,
Ne vous exposez point au dernier des malheurs.
La mort de ce tyran, quoique trop légitime,
Aura dedans vos mains l'image d'un grand crime :
Le peuple pour miracle osera maintenir
Que le ciel par son fils l'aura voulu punir;
Et sa haine obstinée après cette chimère
Vous croira parricide en vengeant votre père;
La vérité n'aura ni le nom ni l'effet
Que d'un adroit mensonge à couvrir ce forfait;
Et d'une telle erreur l'ombre sera trop noire
Pour ne pas obscurcir l'éclat de votre gloire.
Je sais bien que l'ardeur de venger vos parents...

HÉRACLIUS

Vous en êtes aussi, Madame, et je me rends;
Je n'examine rien, et n'ai pas la puissance

De combattre l'amour et la reconnaissance;
Le secret eſt à vous, et je serais ingrat
Si sans votre congé j'osais en faire éclat,
Puisque, sans votre aveu, toute mon aventure
Passerait pour un songe ou pour une impoſture.
Je dirai plus : l'empire eſt plus à vous qu'à moi,
Puisqu'à Léonce mort tout entier je le doi;
C'eſt le prix de son sang, c'eſt pour y satisfaire
Que je rends à la sœur ce que je tiens du frère;
Non que pour m'acquitter par cette élection
Mon devoir ait forcé mon inclination;
Il présenta mon cœur aux yeux qui le charmèrent,
Il prépara mon âme aux feux qu'ils allumèrent;
Et ces yeux tout divins, par un soudain pouvoir,
Achevèrent sur moi l'effet de ce devoir.
Oui, mon cœur, chère Eudoxe, à ce trône n'aspire
Que pour vous voir bientôt maîtresse de l'empire.
Je ne me suis voulu jeter dans le hasard
Que par la seule soif de vous en faire part;
C'était là tout mon but. Pour éviter l'inceſte,
Je n'ai qu'à m'éloigner de ce climat funeſte;
Mais si je me dérobe au rang qui vous eſt dû,
Ce sera par moi seul que vous l'aurez perdu :
Seul je vous ôterai ce que je vous dois rendre.
Disposez des moyens et du temps de le prendre.
Quand vous voudrez régner, faites-m'en possesseur;
Mais comme enfin j'ai lieu de craindre pour ma sœur,
Tirez-la dans ce jour de ce péril extrême,
Ou demain je ne prends conseil que de moi-même.

LÉONTINE

Reposez-vous sur moi, Seigneur, de tout son sort,
Et n'en appréhendez ni l'hymen ni la mort.

SCÈNE III

LÉONTINE, EUDOXE

LÉONTINE

Ce n'eſt plus avec vous qu'il faut que je déguise;
A ne vous rien cacher son amour m'autorise :

Vous saurez les desseins de tout ce que j'ai fait,
Et pourrez me servir à presser leur effet.
Notre vrai Martian adore la Princesse :
Animons toutes deux l'amant pour la maîtresse;
Faisons que son amour nous venge de Phocas,
Et de son propre fils arme pour nous le bras.
Si j'ai pris soin de lui, si je l'ai laissé vivre,
Si je perdis Léonce, et ne le fis pas suivre,
Ce fut sur l'espoir seul qu'un jour, pour s'agrandir,
A ma pleine vengeance il pourrait s'enhardir.
Je ne l'ai conservé que pour ce parricide.

EUDOXE

Ah ! Madame.

LÉONTINE

Ce mot déjà vous intimide !
C'est à de telles mains qu'il nous faut recourir;
C'est par là qu'un tyran est digne de périr;
Et le courroux du ciel, pour en purger la terre,
Nous doit un parricide au refus du tonnerre.
C'est à nous qu'il remet de l'y précipiter :
Phocas le commettra s'il le peut éviter;
Et nous immolerons au sang de votre frère
Le père par le fils ou le fils par le père.
L'ordre est digne de nous; le crime est digne d'eux;
Sauvons Héraclius au péril de tous deux.

EUDOXE

Je sais qu'un parricide est digne d'un tel père;
Mais faut-il qu'un tel fils soit en péril d'en faire?
Et sachant sa vertu, pouvez-vous justement
Abuser jusque-là de son aveuglement?

LÉONTINE

Dans le fils d'un tyran l'odieuse naissance
Mérite que l'erreur arrache l'innocence,
Et que de quelque éclat qu'il se soit revêtu,
Un crime qu'il ignore en souille la vertu.

PAGE

Exupère, Madame, est là qui vous demande.

LÉONTINE

Exupère ! à ce nom que ma surprise est grande !

Qu'il entre. A quel dessein vient-il parler à moi,
Lui que je ne vois point, qu'à peine je connoi?
Dans l'âme il hait Phocas, qui s'immola son père;
Et sa venue ici cache quelque mystère.
Je vous l'ai déjà dit, votre langue nous perd.

SCÈNE IV

EXUPÈRE, LÉONTINE, EUDOXE

EXUPÈRE

Madame, Héraclius vient d'être découvert.

LÉONTINE, *à Eudoxe.*

Eh bien?

EUDOXE

Si...

LÉONTINE

Taisez-vous.

(A Exupère.)

Depuis quand?

EXUPÈRE

Tout à l'heure.

LÉONTINE

Et déjà l'Empereur a commandé qu'il meure?

EXUPÈRE

Le tyran est bien loin de s'en voir éclairci.

LÉONTINE

Comment?

EXUPÈRE

Ne craignez rien, Madame, le voici.

LÉONTINE

Je ne vois que Léonce.

EXUPÈRE

Ah! quittez l'artifice.

SCÈNE V

MARTIAN, LÉONTINE, EXUPÈRE, EUDOXE

MARTIAN

Madame, dois-je croire un billet de Maurice?
Voyez si c'est sa main, ou s'il est contrefait;
Dites s'il me détrompe, ou m'abuse en effet,
Si je suis votre fils, ou s'il était mon père :
Vous en devez connaître encor le caractère.

LÉONTINE *lit le billet.*

BILLET DE MAURICE

Léontine a trompé Phocas,
Et livrant pour mon fils un des siens au trépas,
Dérobe à sa fureur l'héritier de l'empire.
O vous qui me restez de fidèles sujets,
Honorez son grand zèle, appuyez ses projets :
Sous le nom de Léonce Héraclius respire.

MAURICE.

(Elle rend le billet à Exupère,
qui le lui a donné, et continue.)

Seigneur, il vous dit vrai : vous étiez en mes mains.
Quand on ouvrit Byzance au pire des humains,
Maurice m'honora de cette confiance;
Mon zèle y répondit par delà sa croyance.
Le voyant prisonnier et ses quatre autres fils,
Je cachai quelques jours ce qu'il m'avait commis;
Mais enfin, toute prête à me voir découverte,
Ce zèle sur mon sang détourna votre perte.
J'allai pour vous sauver vous offrir à Phocas;
Mais j'offris votre nom, et ne vous donnai pas.
La généreuse ardeur de sujette fidèle,
Me rendit pour mon prince à moi-même cruelle :
Mon fils fut, pour mourir, le fils de l'Empereur.
J'éblouis le tyran, je trompai sa fureur :
Léonce, au lieu de vous, lui servit de victime.

(Elle fait un soupir.)

Ah ! pardonnez, de grâce; il m'échappe sans crime.
J'ai pris pour vous sa vie, et lui rends un soupir;
Ce n'est pas trop, Seigneur, pour un tel souvenir :

A cet illustre effort par mon devoir réduite,
J'ai dompté la nature, et ne l'ai pas détruite.
  Phocas, ravi de joie à cette illusion,
Me combla de faveurs avec profusion,
Et nous fit de sa main cette haute fortune
Dont il n'est pas besoin que je vous importune.
  Voilà ce que mes soins vous laissaient ignorer;
Et j'attendais, Seigneur, à vous le déclarer,
Que par vos grands exploits votre rare vaillance
Pût faire à l'univers croire à votre naissance,
Et qu'une occasion pareille à ce grand bruit
Nous pût de son aveu promettre quelque fruit;
Car comme j'ignorais que notre grand monarque
En eût pu rien savoir, ou laisser quelque marque,
Je doutai qu'un secret, n'étant su que de moi,
Sous un tyran si craint pût trouver quelque foi.

EXUPÈRE

Comme sa cruauté, pour mieux gêner Maurice,
Le forçait de ses fils à voir le sacrifice,
Ce prince vit l'échange, et l'allait empêcher;
Mais l'acier des bourreaux fut plus prompt à trancher :
La mort de votre fils arrêta cette envie,
Et prévint d'un moment le refus de sa vie.
  Maurice, à quelque espoir se laissant lors flatter,
S'en ouvrit à Félix, qui vint le visiter,
Et trouva les moyens de lui donner ce gage
Qui vous en pût un jour rendre un plein témoignage.
Félix est mort, Madame, et naguère en mourant
Il remit ce dépôt à son plus cher parent;
Et m'ayant tout conté : « Tiens, dit-il, Exupère,
  Sers ton prince, et venge ton père. »
Armé d'un tel secret, Seigneur, j'ai voulu voir
Combien parmi le peuple il aurait de pouvoir.
J'ai fait semer ce bruit sans vous faire connaître;
Et voyant tous les cœurs vous souhaiter pour maître,
J'ai ligué du tyran les secrets ennemis,
Mais sans leur découvrir plus qu'il ne m'est permis.
Ils aiment votre nom, sans savoir davantage,
Et cette seule joie anime leur courage,
Sans qu'autres que les deux qui vous parlaient là-bas
De tout ce qu'elle a fait sachent plus que Phocas.
Vous venez de savoir ce que vous vouliez d'elle;

C'eſt à vous de répondre à son généreux zèle.
Le peuple eſt mutiné, nos amis assemblés,
Le tyran effrayé, ses confidents troublés.
Donnez l'aveu du Prince à sa mort qu'on apprête,
Et ne dédaignez pas d'ordonner de sa tête.

MARTIAN

Surpris des nouveautés d'un tel événement,
Je demeure à vos yeux muet d'étonnement.
Je sais ce que je dois, Madame, au grand service
Dont vous avez sauvé l'héritier de Maurice.
Je croyais, comme fils, devoir tout à vos soins,
Et je vous dois bien plus lorsque je vous suis moins;
Mais pour vous expliquer toute ma gratitude,
Mon âme a trop de trouble et trop d'inquiétude.
J'aimais, vous le savez, et mon cœur enflammé
Trouve enfin une sœur dedans l'objet aimé.
Je perds une maîtresse en gagnant un empire :
Mon amour en murmure, et mon cœur en soupire;
Et de mille pensers mon esprit agité
Paraît enseveli dans la ſtupidité.
Il eſt temps d'en sortir, l'honneur nous le commande :
Il faut donner un chef à votre illuſtre bande.
Allez, brave Exupère, allez, je vous rejoins;
Souffrez que je lui parle un moment sans témoins.
Disposez cependant vos amis à bien faire;
Surtout sauvons le fils en immolant le père :
Il n'eut rien du tyran qu'un peu de mauvais sang,
Dont la dernière guerre a trop purgé son flanc.

EXUPÈRE

Nous vous rendrons, Seigneur, entière obéissance,
Et vous allons attendre avec impatience.

SCÈNE VI

MARTIAN, LÉONTINE, EUDOXE

MARTIAN

Madame, pour laisser toute sa dignité
A ce dernier effort de générosité,

Je crois que les raisons que vous m'avez données
M'en ont seules caché le secret tant d'années.
D'autres soupçonneraient qu'un peu d'ambition,
Du prince Martian voyant la passion,
Pour lui voir sur le trône élever votre fille,
Aurait voulu laisser l'empire en sa famille,
Et me faire trouver un tel destin bien doux
Dans l'éternelle erreur d'être sorti de vous;
Mais je tiendrais à crime une telle pensée.
Je me plains seulement d'une ardeur insensée,
D'un détestable amour que pour ma propre sœur
Vous-même vous avez allumé dans mon cœur.
Quel dessein faisiez-vous sur cet aveugle inceste?

LÉONTINE

Je vous aurais tout dit avant ce nœud funeste;
Et je le craignais peu, trop sûre que Phocas,
Ayant d'autres desseins, ne le souffrirait pas.
  Je voulais donc, Seigneur, qu'une flamme si belle
Portât votre courage aux vertus dignes d'elle,
Et que votre valeur l'ayant su mériter,
Le refus du tyran vous pût mieux irriter.
Vous n'avez pas rendu mon espérance vaine :
J'ai vu dans votre amour une source de haine;
Et j'ose dire encor qu'un bras si renommé
Peut-être aurait moins fait si le cœur n'eût aimé.
Achevez donc, Seigneur; et puisque Pulchérie
Doit craindre l'attentat d'une aveugle furie...

MARTIAN

Peut-être il vaudrait mieux moi-même la porter
A ce que le tyran témoigne en souhaiter;
Son amour, qui pour moi résiste à sa colère,
N'y résistera plus quand je serai son frère.
Pourrais-je lui trouver un plus illustre époux?

LÉONTINE

Seigneur, qu'allez-vous faire? et que me dites-vous?

MARTIAN

Que peut-être, pour rompre un si digne hyménée,
J'expose à tort sa tête avec ma destinée,
Et fais d'Héraclius un chef de conjurés

Dont je vois les complots encor mal assurés.
Aucun d'eux du tyran n'approche la personne;
Et quand même l'issue en pourrait être bonne,
Peut-être il m'eſt honteux de reprendre l'État
Par l'infâme succès d'un lâche assassinat;
Peut-être il vaudrait mieux en tête d'une armée
Faire parler pour moi toute ma renommée,
Et trouver à l'empire un chemin glorieux
Pour venger mes parents d'un bras victorieux.
C'eſt dont je vais résoudre avec cette princesse,
Pour qui non plus l'amour, mais le sang m'intéresse.
Vous, avec votre Eudoxe...

LÉONTINE

Ah ! Seigneur, écoutez.

MARTIAN

J'ai besoin de conseils dans ces difficultés;
Mais à parler sans fard, pour écouter les vôtres,
Outre mes intérêts, vous en avez trop d'autres.
Je ne soupçonne point vos vœux ni votre foi;
Mais je ne veux d'avis que d'un cœur tout à moi.
Adieu.

SCÈNE VII

LÉONTINE, EUDOXE

LÉONTINE

Tout me confond, tout me devient contraire.
Je ne fais rien du tout, quand je pense tout faire;
Et lorsque le hasard me flatte avec excès,
Tout mon dessein avorte au milieu du succès :
Il semble qu'un démon funeſte à sa conduite
Des beaux commencements empoisonne la suite.
Ce billet, dont je vois Martian abusé,
Fait plus en ma faveur que je n'aurais osé :
Il arme puissamment le fils contre le père;
Mais comme il a levé le bras en qui j'espère,
Sur le point de frapper, je vois avec regret
Que la nature y forme un obſtacle secret.

La vérité le trompe, et ne peut le séduire :
Il sauve en reculant ce qu'il croit mieux détruire :
Il doute; et du côté que je le vois pencher,
Il va presser l'inceste au lieu de l'empêcher.

EUDOXE

Madame, pour le moins vous avez connaissance
De l'auteur de ce bruit, et de mon innocence;
Mais je m'étonne fort de voir à l'abandon
Du prince Héraclius les droits avec le nom.
Ce billet, confirmé par votre témoignage,
Pour monter dans le trône est un grand avantage.
Si Martian le peut sous ce titre occuper,
Pensez-vous qu'il se laisse aisément détromper,
Et qu'au premier moment qu'il vous verra dédire,
Aux mains de son vrai maître il remette l'empire?

LÉONTINE

Vous êtes curieuse, et voulez trop savoir.
N'ai-je pas déjà dit que j'y saurai pourvoir?
Tâchons, sans plus tarder, à revoir Exupère,
Pour prendre en ce désordre un conseil salutaire.

ACTE III

SCÈNE PREMIÈRE

MARTIAN, PULCHÉRIE

MARTIAN

Je veux bien l'avouer, Madame, car mon cœur
A de la peine encore à vous nommer ma sœur,
Quand malgré ma fortune à vos pieds abaissée
J'osai jusques à vous élever ma pensée,
Plus plein d'étonnement que de timidité,
J'interrogeais ce cœur sur sa témérité;
Et dans ses mouvements, pour secrète réponse,
Je sentais quelque chose au-dessus de Léonce,
Dont, malgré ma raison, l'impérieux effort
Emportait mes désirs au delà de mon sort.

PULCHÉRIE

Moi-même assez souvent j'ai senti dans mon âme
Ma naissance en secret me reprocher ma flamme.
Mais quoi ! l'impératrice à qui je dois le jour
Avait innocemment fait naître cet amour :
J'approchais de quinze ans, alors qu'empoisonnée
Pour avoir contredit mon indigne hyménée,
Elle mêla ces mots à ses derniers soupirs :
« Le tyran veut surprendre ou forcer vos désirs,
Ma fille, et sa fureur à son fils vous destine;
Mais prenez un époux des mains de Léontine;
Elle garde un trésor qui vous sera bien cher. »
Cet ordre en sa faveur me sut si bien toucher,
Qu'au lieu de la haïr d'avoir livré mon frère,
J'en tins le bruit pour faux, elle me devint chère;
Et confondant ces mots de trésor et d'époux,
Je crus les bien entendre, expliquant tout de vous.
J'opposais de la sorte à ma fière naissance
Les favorables lois de mon obéissance;

Et je m'imputais même à trop de vanité
De trouver entre nous quelque inégalité.
La race de Léonce étant patricienne,
L'éclat de vos vertus l'égalait à la mienne;
Et je me laissais dire en mes douces erreurs :
« C'est de pareils héros qu'on fait les empereurs;
Tu peux bien sans rougir aimer un grand courage
A qui le monde entier peut rendre un juste hommage. »
J'écoutais sans dédain ce qui m'autorisait :
L'amour pensait le dire, et le sang le disait;
Et de ma passion la flatteuse imposture
S'emparait dans mon cœur des droits de la nature.

MARTIAN

Ah ! ma sœur, puisque enfin mon destin éclairci
Veut que je m'accoutume à vous nommer ainsi,
Qu'aisément l'amitié jusqu'à l'amour nous mène !
C'est un penchant si doux qu'on y tombe sans peine;
Mais quand il faut changer l'amour en amitié,
Que l'âme qui s'y force est digne de pitié !
Et qu'on doit plaindre un cœur qui n'osant s'en défendre,
Se laisse déchirer avant que de se rendre !
Ainsi donc la nature à l'espoir le plus doux
Fait succéder l'horreur, et l'horreur d'être à vous !
Ce que je suis m'arrache à ce que j'aimais d'être !
Ah ! s'il m'était permis de ne me pas connaître,
Qu'un si charmant abus serait à préférer
A l'âpre vérité qui vient de m'éclairer !

PULCHÉRIE

J'eus pour vous trop d'amour pour ignorer ses forces;
Je sais quelle amertume aigrit de tels divorces;
Et la haine à mon gré les fait plus doucement
Que quand il faut aimer, mais aimer autrement.
J'ai senti comme vous une douleur bien vive
En brisant les beaux fers qui me tenaient captive;
Mais j'en condamnerais le plus doux souvenir,
S'il avait à mon cœur coûté plus d'un soupir.
Ce grand coup m'a surprise et ne m'a point troublée;
Mon âme l'a reçu sans en être accablée;
Et comme tous mes feux n'avaient rien que de saint,
L'honneur les alluma, le devoir les éteint.
Je ne vois plus d'amant où je rencontre un frère;

L'un ne peut me toucher, ni l'autre me déplaire;
Et je tiendrai toujours mon bonheur infini,
Si les miens sont vengés, et le tyran puni.
Vous que va sur le trône élever la naissance,
Régnez sur votre cœur avant que sur Byzance;
Et domptant comme moi ce dangereux mutin,
Commencez à répondre à ce noble destin.

MARTIAN

Ah! vous fûtes toujours l'illustre Pulchérie,
En fille d'empereur dès le berceau nourrie;
Et ce grand nom sans peine a pu vous enseigner
Comment dessus vous-même il vous fallait régner;
Mais pour moi, qui caché sous une autre aventure,
D'une âme plus commune ai pris quelque teinture,
Il n'est pas merveilleux si ce que je me crus
Mêle un peu de Léonce au cœur d'Héraclius.
A mes confus regrets soyez donc moins sévère :
C'est Léonce qui parle, et non pas votre frère;
Mais si l'un parle mal, l'autre va bien agir,
Et l'un ni l'autre enfin ne vous fera rougir.
Je vais des conjurés embrasser l'entreprise,
Puisqu'une âme si haute à frapper m'autorise,
Et tient que pour répandre un si coupable sang,
L'assassinat est noble et digne de mon rang.
Pourrai-je cependant vous faire une prière?

PULCHÉRIE

Prenez sur Pulchérie une puissance entière.

MARTIAN

Puisqu'un amant si cher ne peut plus être à vous,
Ni vous mettre l'empire en la main d'un époux,
Épousez Martian comme un autre moi-même :
Ne pouvant être à moi, soyez à ce que j'aime.

PULCHÉRIE

Ne pouvant être à vous, je pourrais justement
Vouloir n'être à personne, et fuir tout autre amant;
Mais on pourrait nommer cette fermeté d'âme
Un reste mal éteint d'incestueuse flamme.
Afin donc qu'à ce choix j'ose tout accorder,
Soyez mon empereur pour me le commander.

Martian vaut beaucoup, sa personne m'eſt chère;
Mais purgez sa vertu des crimes de son père,
Et donnez à mes feux pour légitime objet
Dans le fils du tyran votre premier sujet.

MARTIAN

Vous le voyez, j'y cours; mais enfin s'il arrive
Que l'issue en devienne ou funeſte ou tardive,
Votre perte eſt jurée; et d'ailleurs nos amis
Au tyran immolé voudront joindre ce fils.
Sauvez d'un tel péril et sa vie et la vôtre :
Par cet heureux hymen conservez l'un et l'autre;
Garantissez ma sœur des fureurs de Phocas,
Et mon ami de suivre un tel père au trépas.
Faites qu'en ce grand jour la troupe d'Exupère
Dans un sang odieux respecte mon beau-frère;
Et donnez au tyran, qui n'en pourra jouir,
Quelques moments de joie afin de l'éblouir.

PULCHÉRIE

Mais durant ces moments, unie à sa famille,
Il deviendra mon père, et je serai sa fille :
Je lui devrai respect, amour, fidélité;
Ma haine n'aura plus d'impétuosité;
Et tous mes vœux pour vous seront mols et timides,
Quand mes vœux contre lui seront des parricides.
Outre que le succès eſt encore à douter,
Que l'on peut vous trahir, qu'il peut vous résiſter,
Si vous y succombez, pourrai-je me dédire
D'avoir porté chez lui les titres de l'empire?
Ah ! combien ces moments de quoi vous me flattez
Alors pour mon supplice auraient d'éternités !
Votre haine voit peu l'erreur de sa tendresse;
Comme elle vient de naître, elle n'eſt que faiblesse.
La mienne a plus de force, et les yeux mieux ouverts;
Et se dût avec moi perdre tout l'univers,
Jamais un seul moment, quoi que l'on puisse faire,
Le tyran n'aura droit de me traiter de père.
Je ne refuse au fils ni mon cœur ni ma foi :
Vous l'aimez, je l'eſtime, il eſt digne de moi.
Tout son crime eſt un père à qui le sang l'attache :
Quand il n'en aura plus, il n'aura plus de tache;
Et cette mort, propice à former ces beaux nœuds,

Purifiant l'objet, justifiera mes feux.
Allez donc préparer cette heureuse journée,
Et du sang du tyran signez cet hyménée.
Mais quel mauvais démon devers nous le conduit?

MARTIAN

Je suis trahi, Madame, Exupère le suit.

SCÈNE II

PHOCAS, EXUPÈRE, AMINTAS, MARTIAN,
PULCHÉRIE, CRISPE

PHOCAS

Quel est votre entretien avec cette princesse?
Des noces que je veux?

MARTIAN

C'est de quoi je la presse.

PHOCAS

Et vous l'avez gagnée en faveur de mon fils?

MARTIAN

Il sera son époux, elle me l'a promis.

PHOCAS

C'est beaucoup obtenir d'une âme si rebelle.
Mais quand?

MARTIAN

C'est un secret que je n'ai pas su d'elle.

PHOCAS

Vous pouvez m'en dire un dont je suis plus jaloux.
On dit qu'Héraclius est fort connu de vous :
Si vous aimez mon fils, faites-le-moi connaître.

MARTIAN

Vous le connaissez trop, puisque je vois ce traître.

EXUPÈRE

Je sers mon empereur, et je sais mon devoir.

MARTIAN

Chacun te l'avouera : tu le fais assez voir.

PHOCAS

De grâce éclaircissez ce que je vous propose.
Ce billet à demi m'en dit bien quelque chose;
Mais, Léonce, c'est peu si vous ne l'achevez.

MARTIAN

Nommez-moi par mon nom, puisque vous le savez :
Dites Héraclius; il n'est plus de Léonce,
Et j'entends mon arrêt sans qu'on me le prononce.

PHOCAS

Tu peux bien t'y résoudre, après ton vain effort
Pour m'arracher le sceptre et conspirer ma mort.

MARTIAN

J'ai fait ce que j'ai dû. Vivre sous ta puissance,
C'eût été démentir mon nom et ma naissance,
Et ne point écouter le sang de mes parents,
Qui ne crie en mon corps que la mort des tyrans.
Quiconque pour l'empire eut la gloire de naître
Renonce à cet honneur s'il peut souffrir un maître[8] :
Hors le trône ou la mort, il doit tout dédaigner;
C'est un lâche, s'il n'ose ou se perdre ou régner.
  J'entends donc mon arrêt sans qu'on me le prononce.
Héraclius mourra comme a vécu Léonce :
Bon sujet, meilleur prince; et ma vie et ma mort
Rempliront dignement et l'un et l'autre sort.
  La mort n'a rien d'affreux pour une âme bien née,
A mes côtés pour toi je l'ai cent fois traînée;
Et mon dernier exploit contre tes ennemis
Fut d'arrêter son bras qui tombait sur ton fils.

PHOCAS

Tu prends pour me toucher un mauvais artifice :
Héraclius n'eut point de part à ce service;
J'en ai payé Léonce à qui seul était dû
L'inestimable honneur de me l'avoir rendu.
Mais, sous des noms divers à soi-même contraire,
Qui conserva le fils attente sur le père;

Et se désavouant d'un aveugle secours,
Sitôt qu'il se connaît il en veut à mes jours.
Je te devais la vie, et je me dois justice :
Léonce est effacé par le fils de Maurice.
Contre un tel attentat rien n'est à balancer,
Et je saurai punir comme récompenser.

MARTIAN

Je sais trop qu'un tyran est sans reconnaissance,
Pour en avoir conçu la honteuse espérance,
Et suis trop au-dessus de cette indignité,
Pour te vouloir piquer de générosité.
Que ferais-tu pour moi de me laisser la vie,
Si pour moi sans le trône elle n'est qu'infamie?
Héraclius vivrait pour te faire la cour!
Rends-lui, rends-lui son sceptre, ou prive-le du jour.
Pour ton propre intérêt sois juge incorruptible :
Ta vie avec la mienne est trop incompatible;
Un si grand ennemi ne peut être gagné,
Et je te punirais de m'avoir épargné.
Si de ton fils sauvé j'ai rappelé l'image,
J'ai voulu de Léonce étaler le courage,
Afin qu'en le voyant tu ne doutasses plus
Jusques où doit aller celui d'Héraclius.
Je me tiens plus heureux de périr en monarque,
Que de vivre en éclat sans en porter la marque;
Et puisque pour jouir d'un si glorieux sort,
Je n'ai que ce moment qu'on destine à ma mort,
Je la rendrai si belle et si digne d'envie,
Que ce moment vaudra la plus illustre vie.
M'y faisant donc conduire, assure ton pouvoir,
Et délivre mes yeux de l'horreur de te voir.

PHOCAS

Nous verrons la vertu de cette âme hautaine.
Faites-le retirer en la chambre prochaine,
Crispe; et qu'on me l'y garde, attendant que mon choix
Pour punir son forfait vous donne d'autres lois.

MARTIAN, *à Pulchérie.*

Adieu, Madame, adieu; je n'ai pu davantage,
Ma mort vous va laisser encor dans l'esclavage :
Le ciel par d'autres mains vous en daigne affranchir!

SCÈNE III

PHOCAS, PULCHÉRIE, EXUPÈRE, AMINTAS

PHOCAS

Et toi, n'espère pas désormais me fléchir.
Je tiens Héraclius, et n'ai plus rien à craindre,
Plus lieu de te flatter, plus lieu de me contraindre.
Ce frère et ton espoir vont entrer au cercueil,
Et j'abattrai d'un coup sa tête et ton orgueil.
Mais ne te contrains point dans ces rudes alarmes;
Laisse aller tes soupirs, laisse couler tes larmes.

PULCHÉRIE

Moi, pleurer ! moi, gémir, tyran ! J'aurais pleuré
Si quelques lâchetés l'avaient déshonoré,
S'il n'eût pas emporté sa gloire tout entière,
S'il m'avait fait rougir par la moindre prière,
Si quelque infâme espoir qu'on lui dût pardonner
Eût mérité la mort que tu lui vas donner.
Sa vertu jusqu'au bout ne s'est point démentie :
Il n'a point pris le ciel ni le sort à partie,
Point querellé le bras qui fait ces lâches coups,
Point daigné contre lui perdre un juste courroux.
Sans te nommer ingrat, sans trop le nommer traître,
De tous deux, de soi-même il s'est montré le maître;
Et dans cette surprise il a bien su courir
A la nécessité qu'il voyait de mourir.
Je goûtais cette joie en un sort si contraire.
Je l'aimai comme amant, je l'aime comme frère;
Et dans ce grand revers je l'ai vu hautement
Digne d'être mon frère, et d'être mon amant.

PHOCAS

Explique, explique mieux le fond de ta pensée;
Et sans plus te parer d'une vertu forcée,
Pour apaiser le père, offre le cœur au fils,
Et tâche à racheter ce cher frère à ce prix.

PULCHÉRIE

Crois-tu que sur la foi de tes fausses promesses
Mon âme ose descendre à de telles bassesses?
Prends mon sang pour le sien; mais s'il y faut mon cœur,
Périsse Héraclius avec sa triste sœur !

PHOCAS

Eh bien ! il va périr; ta haine en est complice.

PULCHÉRIE

Et je verrai du ciel bientôt choir ton supplice.
Dieu, pour le réserver à ses puissantes mains,
Fait avorter exprès tous les moyens humains;
Il veut frapper le coup sans notre ministère.
Si l'on t'a bien donné Léonce pour mon frère,
Les quatre autres peut-être à tes yeux abusés,
Ont été comme lui des Césars supposés.
L'État, qui dans leur mort voyait trop sa ruine,
Avait des généreux autres que Léontine;
Ils trompaient d'un barbare aisément la fureur,
Qui n'avait jamais vu la cour ni l'Empereur.
Crains, tyran, crains encor : tous les quatre peut-être
L'un après l'autre enfin se vont faire paraître;
Et malgré tous tes soins, malgré tout ton effort,
Tu ne les connaîtras qu'en recevant la mort.
Moi-même, à leur défaut, je serai la conquête
De quiconque à mes pieds apportera ta tête;
L'esclave le plus vil qu'on puisse imaginer
Sera digne de moi s'il peut t'assassiner.
Va perdre Héraclius, et quitte la pensée
Que je me pare ici d'une vertu forcée;
Et sans m'importuner de répondre à tes vœux,
Si tu prétends régner, défais-toi de tous deux.

SCÈNE IV

PHOCAS, EXUPÈRE, AMINTAS

PHOCAS

J'écoute avec plaisir ces menaces frivoles;
Je ris d'un désespoir qui n'a que des paroles;

Et de quelque façon qu'elle m'ose outrager,
Le sang d'Héraclius m'en doit assez venger.
Vous donc, mes vrais amis, qui me tirez de peine;
Vous, dont je vois l'amour quand je craignais la haine;
Vous, qui m'avez livré mon secret ennemi,
Ne soyez point vers moi fidèles à demi :
Résolvez avec moi des moyens de sa perte :
La ferons-nous secrète, ou bien à force ouverte?
Prendrons-nous le plus sûr, ou le plus glorieux?

EXUPÈRE

Seigneur, n'en doutez point, le plus sûr vaut le mieux;
Mais le plus sûr pour vous est que sa mort éclate,
De peur qu'en l'ignorant le peuple ne se flatte,
N'attende encor ce prince, et n'ait quelque raison
De courir en aveugle à qui prendra son nom.

PHOCAS

Donc, pour ôter tout doute à cette populace,
Nous envoirons sa tête au milieu de la place.

EXUPÈRE

Mais si vous la coupez dedans votre palais,
Ces obstinés mutins ne le croiront jamais;
Et sans que pas un d'eux à son erreur renonce,
Ils diront qu'on impute un faux nom à Léonce,
Qu'on en fait un fantôme afin de les tromper,
Prêts à suivre toujours qui voudra l'usurper.

PHOCAS

Lors nous leur ferons voir ce billet de Maurice.

EXUPÈRE

Ils le tiendront pour faux, et pour un artifice.
Seigneur, après vingt ans vous espérez en vain
Que ce peuple ait des yeux pour connaître sa main.
Si vous voulez calmer toute cette tempête,
Il faut en pleine place abattre cette tête.
Et qu'il die, en mourant, à ce peuple confus :
« Peuple, n'en doute point, je suis Héraclius. »

PHOCAS

Il le faut, je l'avoue; et déjà je destine

A ce même échafaud l'infâme Léontine.
Mais si ces insolents l'arrachent de nos mains?

EXUPÈRE

Qui l'osera, Seigneur?

PHOCAS

Ce peuple que je crains.

EXUPÈRE

Ah! souvenez-vous mieux des désordres qu'enfante
Dans un peuple sans chef la première épouvante.
Le seul bruit de ce prince au palais arrêté
Dispersera soudain chacun de son côté;
Les plus audacieux craindront votre justice,
Et le reste en tremblant ira voir son supplice.
Mais ne leur donnez pas, tardant trop à punir,
Le temps de se remettre et de se réunir :
Envoyez des soldats à chaque coin des rues;
Saisissez l'Hippodrome avec ses avenues;
Dans tous les lieux publics rendez-vous le plus fort.
Pour nous, qu'un tel indice intéresse à sa mort,
De peur que d'autres mains ne se laissent séduire,
Jusques à l'échafaud laissez-nous le conduire.
Nous aurons trop d'amis pour en venir à bout;
J'en réponds sur ma tête, et j'aurai l'œil à tout.

PHOCAS

C'en est trop, Exupère : allez, je m'abandonne
Aux fidèles conseils que votre ardeur me donne.
C'est l'unique moyen de dompter nos mutins,
Et d'éteindre à jamais ces troubles intestins.
Je vais, sans différer, pour cette grande affaire
Donner à tous mes chefs un ordre nécessaire.
Vous, pour répondre aux soins que vous m'avez promis,
Allez de votre part assembler vos amis,
Et croyez qu'après moi, jusqu'à ce que j'expire,
Ils seront, eux et vous, les maîtres de l'empire.

SCÈNE V

EXUPÈRE, AMINTAS

EXUPÈRE

Nous sommes en faveur, ami, tout est à nous :
L'heur de notre destin va faire des jaloux.

AMINTAS

Quelque allégresse ici que vous fassiez paraître,
Trouvez-vous doux les noms de perfide et de traître?

EXUPÈRE

Je sais qu'aux généreux ils doivent faire horreur;
Ils m'ont frappé l'oreille, ils m'ont blessé le cœur;
Mais bientôt par l'effet que nous devons attendre,
Nous serons en état de ne plus les entendre.
Allons : pour un moment qu'il faut les endurer,
Ne fuyons pas les biens qu'ils nous font espérer.

ACTE IV

SCÈNE PREMIÈRE

HÉRACLIUS, EUDOXE

HÉRACLIUS

Vous avez grand sujet d'appréhender pour elle :
Phocas au dernier point la tiendra criminelle;
Et je le connais mal, ou s'il la peut trouver,
Il n'est moyen humain qui puisse la sauver.
Je vous plains, chère Eudoxe, et non pas votre mère :
Elle a bien mérité ce qu'a fait Exupère;
Il trahit justement qui voulait me trahir.

EUDOXE

Vous croyez qu'à ce point elle ait pu vous haïr,
Vous, pour qui son amour a forcé la nature?

HÉRACLIUS

Comment voulez-vous donc nommer son imposture?
M'empêcher d'entreprendre, et par un faux rapport
Confondre en Martian et mon nom et mon sort;
Abuser d'un billet que le hasard lui donne;
Attacher de sa main mes droits à sa personne,
Et le mettre en état, dessous sa bonne foi,
De régner en ma place, ou de périr pour moi :
Madame, est-ce en effet me rendre un grand service?

EUDOXE

Eût-elle démenti ce billet de Maurice?
Et l'eût-elle pu faire, à moins que révéler
Ce que surtout alors il lui fallait celer?
Quand Martian par là n'eût pas connu son père,
C'était vous hasarder sur la foi d'Exupère :
Elle en doutait, Seigneur, et par l'événement
Vous voyez que son zèle en doutait justement.

Sûre en soi des moyens de vous rendre l'empire,
Qu'à vous-même jamais elle n'a voulu dire,
Elle a sur Martian tourné le coup fatal
De l'épreuve d'un cœur qu'elle connaissait mal.
Seigneur, où seriez-vous sans ce nouveau service?

HÉRACLIUS

Qu'importe qui des deux on destine au supplice?
Qu'importe, Martian, vu ce que je te doi,
Qui trahisse mon sort, d'Exupère ou de moi?
Si l'on ne me découvre, il faut que je m'expose;
Et l'un et l'autre enfin ne sont que même chose,
Sinon qu'étant trahi je mourrai malheureux,
Et que, m'offrant pour toi, je mourrai généreux.

EUDOXE

Quoi? pour désabuser une aveugle furie,
Rompre votre destin, et donner votre vie !

HÉRACLIUS

Vous êtes plus aveugle encore en votre amour.
Périra-t-il pour moi quand je lui dois le jour?
Et lorsque sous mon nom il se livre à sa perte,
Tiendrai-je sous le mien ma fortune couverte?
S'il s'agissait ici de le faire empereur,
Je pourrais lui laisser mon nom et son erreur;
Mais conniver en lâche à ce nom qu'on me vole,
Quand son père à mes yeux au lieu de moi l'immole !
Souffrir qu'il se trahisse aux rigueurs de mon sort !
Vivre par son supplice et régner par sa mort !

EUDOXE

Ah ! ce n'est pas, Seigneur, ce que je vous demande :
De cette lâcheté l'infamie est trop grande.
Montrez-vous pour sauver ce héros du trépas;
Mais montrez-vous en maître et ne vous perdez pas :
Rallumez cette ardeur où s'opposait ma mère,
Garantissez le fils par la perte du père;
En prenant à l'empire un chemin éclatant,
Montrez Héraclius au peuple qui l'attend.

HÉRACLIUS

Il n'est plus temps, Madame : un autre a pris ma place.
Sa prison a rendu le peuple tout de glace :

Déjà préoccupé d'un autre Héraclius,
Dans l'effroi qui le trouble il ne me croira plus;
Et ne me regardant que comme un fils perfide,
Il aura de l'horreur de suivre un parricide.
Mais quand même il voudrait seconder mes desseins,
Le tyran tient déjà Martian en ses mains.
S'il voit qu'en sa faveur je marche à force ouverte,
Piqué de ma révolte, il hâtera sa perte,
Et croira qu'en m'ôtant l'espoir de le sauver,
Il m'ôtera l'ardeur qui me fait soulever.
N'en parlons plus : en vain votre amour me retarde,
Le sort d'Héraclius tout entier me regarde.
Soit qu'il faille régner, soit qu'il faille périr,
Au tombeau comme au trône on me verra courir.
Mais voici le tyran, et son traître Exupère.

SCÈNE II

PHOCAS, HÉRACLIUS, EXUPÈRE, EUDOXE,
TROUPE DE GARDES

PHOCAS, *montrant Eudoxe à ses gardes.*

Qu'on la tienne en lieu sûr, en attendant sa mère.

HÉRACLIUS

A-t-elle quelque part?...

PHOCAS

Nous verrons à loisir :
Il est bon cependant de la faire saisir.

EUDOXE, *s'en allant.*

Seigneur, ne croyez rien de ce qu'il vous va dire.

PHOCAS, *à Eudoxe.*

Je croirai ce qu'il faut pour le bien de l'empire.
(A Héraclius.)
Ses pleurs pour ce coupable imploraient ta pitié?

HÉRACLIUS

Seigneur...

PHOCAS

Je sais pour lui quelle est ton amitié;
Mais je veux que toi-même, ayant bien vu son crime,
Tiennes ton zèle injuste, et sa mort légitime.
(Aux gardes.)
Qu'on le fasse venir. Pour en tirer l'aveu
Il ne sera besoin ni de fer ni de feu.
Loin de se repentir, l'orgueilleux en fait gloire.
Mais que me diras-tu qu'il ne me faut pas croire?
Eudoxe m'en conjure, et l'avis me surprend.
Aurais-tu découvert quelque crime plus grand?

HÉRACLIUS

Oui, sa mère a plus fait contre votre service
Que ne sait Exupère, et que n'a vu Maurice.

PHOCAS

La perfide! Ce jour lui sera le dernier.
Parle.

HÉRACLIUS

J'achèverai devant le prisonnier.
Trouvez bon qu'un secret d'une telle importance,
Puisque vous le mandez, s'explique en sa présence.

PHOCAS

Le voici. Mais surtout ne me dis rien pour lui.

SCÈNE III

PHOCAS, HÉRACLIUS, MARTIAN, EXUPÈRE,
TROUPE DE GARDES

HÉRACLIUS

Je sais qu'en ma prière il aurait peu d'appui;
Et loin de me donner une inutile peine,
Tout ce que je demande à votre juste haine,
C'est que de tels forfaits ne soient pas impunis;
Perdez Héraclius, et sauvez votre fils[9] :
Voilà tout mon souhait et toute ma prière.
M'en refuserez-vous?

PHOCAS

Tu l'obtiendras entière :
Ton salut en effet eſt douteux sans sa mort.

MARTIAN

Ah, Prince ! j'y courais sans me plaindre du sort;
Son indigne rigueur n'eſt pas ce qui me touche;
Mais en ouïr l'arrêt sortir de votre bouche !
Je vous ai mal connu jusques à mon trépas.

HÉRACLIUS

Et même en ce moment tu ne me connais pas.
Écoute, père aveugle, et toi, prince crédule,
Ce que l'honneur défend que plus je dissimule.
Phocas, connais ton sang et tes vrais ennemis :
Je suis Héraclius, et Léonce eſt ton fils.

MARTIAN

Seigneur, que dites-vous?

HÉRACLIUS

Que je ne puis plus taire
Que deux fois Léontine osa tromper ton père;
Et semant de nos noms un insensible abus,
Fit un faux Martian du jeune Héraclius.

PHOCAS

Maurice te dément, lâche ! tu n'as qu'à lire :
« Sous le nom de Léonce Héraclius respire. »
Tu fais après cela des contes superflus.

HÉRACLIUS

Si ce billet fut vrai, Seigneur, il ne l'eſt plus :
J'étais Léonce alors, et j'ai cessé de l'être
Quand Maurice immolé n'en a pu rien connaître.
S'il laissa par écrit ce qu'il avait pu voir,
Ce qui suivit sa mort fut hors de son pouvoir.
Vous portâtes soudain la guerre dans la Perse,
Où vous eûtes trois ans la fortune diverse.
Cependant Léontine, étant dans le château
Reine de nos deſtins et de notre berceau,
Pour me rendre le rang qu'occupait votre race,
Prit Martian pour elle, et me mit en sa place.

Ce zèle en ma faveur lui succéda si bien,
Que vous-même au retour vous n'en connûtes rien;
Et ces informes traits qu'à six mois a l'enfance,
Ayant mis entre nous fort peu de différence,
Le faible souvenir en trois ans s'en perdit :
Vous prîtes aisément ce qu'elle vous rendit.
Nous vécûmes tous deux sous le nom l'un de l'autre :
Il passa pour son fils, je passai pour le vôtre;
Et je ne jugeais pas ce chemin criminel
Pour remonter sans meurtre au trône paternel.
Mais voyant cette erreur fatale à cette vie
Sans qui déjà la mienne aurait été ravie,
Je me croirais, Seigneur, coupable infiniment
Si je souffrais encore un tel aveuglement.
Je viens reprendre un nom qui seul a fait son crime.
Conservez votre haine, et changez de victime.
Je ne demande rien que ce qui m'est promis :
Perdez Héraclius, et sauvez votre fils.

MARTIAN

Admire de quel fils le ciel t'a fait le père,
Admire quel effort sa vertu vient de faire,
Tyran; et ne prends pas pour une vérité
Ce qu'invente pour moi sa générosité.
(A Héraclius.)
C'est trop, Prince, c'est trop pour ce petit service
Dont honora mon bras ma fortune propice :
Je vous sauvai la vie, et ne la perdis pas;
Et pour moi vous cherchez un assuré trépas !
Ah ! si vous m'en devez quelque reconnaissance,
Prince, ne m'ôtez pas l'honneur de ma naissance :
Avoir tant de pitié d'un sort si glorieux,
De crainte d'être ingrat, c'est m'être injurieux.

PHOCAS

En quel trouble me jette une telle dispute !
A quels nouveaux malheurs m'expose-t-elle en butte !
Lequel croire, Exupère, et lequel démentir?
Tombé-je dans l'erreur, ou si j'en vais sortir?
Si ce billet est vrai, le reste est vraisemblable.

EXUPÈRE

Mais qui sait si ce reste est faux ou véritable?

PHOCAS

Léontine deux fois a pu tromper Phocas.

EXUPÈRE

Elle a pu les changer, et ne les changer pas,
Et plus que vous, Seigneur, dedans l'inquiétude,
Je ne vois que du trouble et de l'incertitude.

HÉRACLIUS

Ce n'eſt pas aujourd'hui que je sais qui je suis :
Vous voyez quels effets en ont été produits.
Depuis plus de quatre ans vous voyez quelle adresse
J'apporte à rejeter l'hymen de la Princesse,
Où sans doute aisément mon cœur eût consenti,
Si Léontine alors ne m'en eût averti.

MARTIAN

Léontine?

HÉRACLIUS

Elle-même.

MARTIAN

Ah ! ciel ! quelle eſt sa ruse !
Martian aime Eudoxe, et sa mère l'abuse.
Par l'horreur d'un hymen qu'il croit inceſtueux,
De ce prince à sa fille elle assure les vœux;
Et son ambition, adroite à le séduire,
Le plonge en une erreur dont elle attend l'empire.
Ce n'eſt que d'aujourd'hui que je sais qui je suis[10];
Mais de mon ignorance elle espérait ces fruits,
Et me tiendrait encor la vérité cachée,
Si tantôt ce billet ne l'en eût arrachée.

PHOCAS, *à Exupère.*

La méchante l'abuse aussi bien que Phocas.

EXUPÈRE

Elle a pu l'abuser, et ne l'abuser pas.

PHOCAS

Tu vois comme la fille a part au ſtratagème.

EXUPÈRE

Et que la mère a pu l'abuser elle-même.

PHOCAS

Que de pensers divers ! que de soucis flottants !

EXUPÈRE

Je vous en tirerai, Seigneur, dans peu de temps.

PHOCAS

Dis-moi, tout eſt-il prêt pour ce juſte supplice?

EXUPÈRE

Oui, si nous connaissions le vrai fils de Maurice.

HÉRACLIUS

Pouvez-vous en douter après ce que j'ai dit?

MARTIAN

Donnez-vous à l'erreur encor quelque crédit?

HÉRACLIUS

Ami, rends-moi mon nom : la faveur n'eſt pas grande;
Ce n'eſt que pour mourir que je te le demande.
Reprends ce triſte jour que tu m'as racheté,
Ou rends-moi cet honneur que tu m'as presque ôté.

MARTIAN

Pourquoi, de mon tyran volontaire victime,
Précipiter vos jours pour me noircir d'un crime?
Prince, qui que je sois, j'ai conspiré sa mort,
Et nos noms au dessein donnent un divers sort :
Dedans Héraclius il a gloire solide,
Et dedans Martian il devient parricide.
Puisqu'il faut que je meure illuſtre ou criminel,
Couvert ou de louange, ou d'opprobre éternel,
Ne souillez point ma mort, et ne veuillez pas faire
Du vengeur de l'empire un assassin d'un père.

HÉRACLIUS

Mon nom seul eſt coupable, et sans plus disputer,
Pour te faire innocent tu n'as qu'à le quitter;

Il conspira lui seul, tu n'en es point complice.
Ce n'est qu'Héraclius qu'on envoie au supplice :
Sois son fils, tu vivras.

MARTIAN

Si je l'avais été,
Seigneur, ce traître en vain m'aurait sollicité;
Et lorsque contre vous il m'a fait entreprendre,
La nature en secret aurait su m'en défendre.

HÉRACLIUS

Apprends donc qu'en secret mon cœur t'a prévenu.
J'ai voulu conspirer, mais on m'a retenu;
Et dedans mon péril Léontine timide...

MARTIAN

N'a pu voir Martian commettre un parricide.

HÉRACLIUS

Toi, que de Pulchérie elle a fait amoureux,
Juge sous les deux noms ton dessein et tes feux.
Elle a rendu pour toi l'un et l'autre funeste,
Martian parricide, Héraclius inceste,
Et n'eût pas eu pour moi d'horreur d'un grand forfait,
Puisque dans ta personne elle en pressait l'effet.
Mais elle m'empêchait de hasarder ma tête,
Espérant par ton bras me livrer ma conquête.
Ce favorable aveu dont elle t'a séduit
T'exposait aux périls pour m'en donner le fruit;
Et c'était ton succès qu'attendait sa prudence,
Pour découvrir au peuple ou cacher ma naissance.

PHOCAS

Hélas! je ne puis voir qui des deux est mon fils;
Et je vois que tous deux ils sont mes ennemis.
En ce piteux état quel conseil dois-je suivre?
J'ai craint un ennemi, mon bonheur me le livre;
Je sais que de mes mains il ne se peut sauver,
Je sais que je le vois, et ne puis le trouver.
La nature tremblante, incertaine, étonnée,
D'un nuage confus couvre sa destinée :
L'assassin sous cette ombre échappe à ma rigueur,
Et présent à mes yeux, il se cache en mon cœur.

Martian ! à ce nom aucun ne veut répondre,
Et l'amour paternel ne sert qu'à me confondre.
Trop d'un Héraclius en mes mains est remis ;
Je tiens mon ennemi, mais je n'ai plus de fils.
Que veux-tu donc, nature, et que prétends-tu faire?
Si je n'ai plus de fils, puis-je encore être père?
De quoi parle à mon cœur ton murmure imparfait?
Ne me dis rien du tout, ou parle tout à fait.
Qui que ce soit des deux que mon sang ait fait naître,
Ou laisse-moi le perdre, ou fais-le-moi connaître.
O toi, qui que tu sois, enfant dénaturé,
Et trop digne du sort que tu t'es procuré,
Mon trône est-il pour toi plus honteux qu'un supplice?
O malheureux Phocas ! ô trop heureux Maurice !
Tu recouvres deux fils pour mourir après toi,
Et je n'en puis trouver pour régner après moi !
Qu'aux honneurs de ta mort je dois porter envie,
Puisque mon propre fils les préfère à sa vie !

SCÈNE IV

PHOCAS, HÉRACLIUS, MARTIAN, CRISPE,
EXUPÈRE, LÉONTINE, GARDES

CRISPE, *à Phocas.*

Seigneur, ma diligence enfin a réussi :
J'ai trouvé Léontine, et je l'amène ici.

PHOCAS, *à Léontine.*

Approche, malheureuse.

HÉRACLIUS, *à Léontine.*

Avouez tout, Madame.
J'ai tout dit.

LÉONTINE, *à Héraclius.*

Quoi, Seigneur?

PHOCAS

Tu l'ignores, infâme !
Qui des deux est mon fils?

LÉONTINE

Qui vous en fait douter?

HÉRACLIUS, *à Léontine.*

Le nom d'Héraclius que son fils veut porter :
Il en croit ce billet et votre témoignage;
Mais ne le laissez pas dans l'erreur davantage.

PHOCAS

N'attends pas les tourments, ne me déguise rien.
M'as-tu livré ton fils, as-tu changé le mien?

LÉONTINE

Je t'ai livré mon fils, et j'en aime la gloire.
Si je parle du reste, oseras-tu m'en croire?
Et qui t'assurera que pour Héraclius,
Moi qui t'ai tant trompé je ne te trompe plus?

PHOCAS

N'importe, fais-nous voir quelle haute prudence
En des temps si divers leur en fait confidence :
A l'un depuis quatre ans, à l'autre d'aujourd'hui.

LÉONTINE

Le secret n'en est su ni de lui, ni de lui;
Tu n'en sauras non plus les véritables causes :
Devine, si tu peux, et choisis, si tu l'oses.
L'un des deux est ton fils, l'autre est ton empereur.
Tremble dans ton amour, tremble dans ta fureur.
Je te veux toujours voir, quoi que ta rage fasse,
Craindre ton ennemi dedans ta propre race,
Toujours aimer ton fils dedans ton ennemi,
Sans être ni tyran, ni père qu'à demi.
Tandis qu'autour des deux tu perdras ton étude,
Mon âme jouira de ton inquiétude;
Je rirai de ta peine; ou si tu m'en punis,
Tu perdras avec moi le secret de ton fils.

PHOCAS

Et si je les punis tous deux sans les connaître,
L'un comme Héraclius, l'autre pour vouloir l'être?

LÉONTINE

Je m'en consolerai quand je verrai Phocas
Croire affermir son sceptre en se coupant le bras,
Et de la même main son ordre tyrannique
Venger Héraclius dessus son fils unique.

PHOCAS

Quelle reconnaissance, ingrate, tu me rends
Des bienfaits répandus sur toi, sur tes parents,
De t'avoir confié ce fils que tu me caches,
D'avoir mis en tes mains ce cœur que tu m'arraches,
D'avoir mis à tes pieds ma cour qui t'adorait !
Rends-moi mon fils, ingrate.

LÉONTINE

Il m'en désavouerait;
Et ce fils, quel qu'il soit, que tu ne peux connaître,
A le cœur assez bon pour ne vouloir pas l'être.
Admire sa vertu qui trouble ton repos.
C'est du fils d'un tyran que j'ai fait ce héros;
Tant ce qu'il a reçu d'heureuse nourriture
Dompte ce mauvais sang qu'il eut de la nature !
C'est assez dignement répondre à tes bienfaits
Que d'avoir dégagé ton fils de tes forfaits.
Séduit pas ton exemple et par sa complaisance,
Il t'aurait ressemblé, s'il eût su sa naissance :
Il serait lâche, impie, inhumain comme toi,
Et tu me dois ainsi plus que je ne te doi.

EXUPÈRE

L'impudence et l'orgueil suivent les impostures.
Ne vous exposez plus à ce torrent d'injures,
Qui ne faisant qu'aigrir votre ressentiment,
Vous donne peu de jour pour ce discernement.
Laissez-la-moi, Seigneur, quelques moments en garde.
Puisque j'ai commencé, le reste me regarde :
Malgré l'obscurité de son illusion,
J'espère démêler cette confusion.
Vous savez à quel point l'affaire m'intéresse.

PHOCAS

Achève, si tu peux, par force ou par adresse,
Exupère; et sois sûr que je te devrai tout,

Si l'ardeur de ton zèle en peut venir à bout.
Je saurai cependant prendre à part l'un et l'autre;
Et peut-être qu'enfin nous trouverons le nôtre.
Agis de ton côté; je la laisse avec toi :
Gêne, flatte, surprends. Vous autres, suivez-moi.

SCÈNE V

EXUPÈRE, LÉONTINE

EXUPÈRE

On ne peut nous entendre. Il est juste, Madame,
Que je vous ouvre enfin jusqu'au fond de mon âme;
C'est passer trop longtemps pour traître auprès de vous.
Vous haïssez Phocas; nous le haïssons tous...

LÉONTINE

Oui, c'est bien lui montrer ta haine et ta colère,
Que lui vendre ton prince et le sang de ton père.

EXUPÈRE

L'apparence vous trompe, et je suis en effet...

LÉONTINE

L'homme le plus méchant que la nature ait fait.

EXUPÈRE

Ce qui passe à vos yeux pour une perfidie...

LÉONTINE

Cache une intention fort noble et fort hardie!

EXUPÈRE

Pouvez-vous en juger, puisque vous l'ignorez?
Considérez l'état de tous nos conjurés.
Il n'est aucun de nous à qui sa violence
N'ait donné trop de lieu d'une juste vengeance;
Et nous en croyant tous dans notre âme indignés,
Le tyran du palais nous a tous éloignés.
Il y fallait rentrer par quelque grand service.

LÉONTINE

Et tu crois m'éblouir avec cet artifice?

EXUPÈRE

Madame, apprenez tout. Je n'ai rien hasardé.
Vous savez de quel nombre il eſt toujours gardé;
Pouvions-nous le surprendre, ou forcer les cohortes
Qui de jour et de nuit tiennent toutes ses portes?
Pouvions-nous mieux sans bruit nous approcher de lui?
Vous voyez la poſture où j'y suis aujourd'hui :
Il me parle, il m'écoute, il me croit; et lui-même
Se livre entre mes mains, aide à mon ſtratagème.
C'eſt par mes seuls conseils qu'il veut publiquement
Du prince Héraclius faire le châtiment;
Que sa milice, éparse à chaque coin des rues,
A laissé du palais les portes presque nues :
Je puis en un moment m'y rendre le plus fort;
Mes amis sont tout prêts : c'en eſt fait, il eſt mort;
Et j'userai si bien de l'accès qu'il me donne,
Qu'aux pieds d'Héraclius je mettrai sa couronne.
Mais après mes desseins pleinement découverts,
De grâce, faites-moi connaître qui je sers;
Et ne le cachez plus à ce cœur qui n'aspire
Qu'à le rendre aujourd'hui maître de tout l'empire.

LÉONTINE

Esprit lâche et grossier, quelle brutalité
Te fait juger en moi tant de crédulité?
Va, d'un piège si lourd l'appas eſt inutile,
Traître, et si tu n'as point de ruse plus subtile...

EXUPÈRE

Je vous dis vrai, Madame, et vous dirai de plus...

LÉONTINE

Ne me fais point ici de contes superflus :
L'effet à tes discours ôte toute croyance.

EXUPÈRE

Eh bien ! demeurez donc dans votre défiance.
Je ne demande plus, et ne vous dis plus rien;
Gardez votre secret, je garderai le mien.
Puisque je passe encor pour homme à vous séduire,
Venez dans la prison où je vais vous conduire :
Si vous ne me croyez, craignez ce que je puis.
Avant la fin du jour vous saurez qui je suis.

ACTE V

SCÈNE PREMIÈRE

HÉRACLIUS

QUELLE confusion étrange
De deux princes fait un mélange
Qui met en discord deux amis !
Un père ne sait où se prendre;
Et plus tous deux s'osent défendre
Du titre infâme de son fils,
Plus eux-mêmes cessent d'entendre
Les secrets qu'on leur a commis.

Léontine avec tant de ruse
Ou me favorise ou m'abuse,
Qu'elle brouille tout notre sort :
Ce que j'en eus de connaissance
Brave une orgueilleuse puissance
Qui n'en croit pas mon vain effort;
Et je doute de ma naissance
Quand on me refuse la mort.

Ce fier tyran qui me caresse
Montre pour moi tant de tendresse
Que mon cœur s'en laisse alarmer :
Lorsqu'il me prie et me conjure,
Son amitié paraît si pure,
Que je ne saurais présumer
Si c'est par instinct de nature,
Ou par coutume de m'aimer[11].

Dans cette croyance incertaine,
J'ai pour lui des transports de haine
Que je ne conserve pas bien :
Cette grâce qu'il veut me faire

Étonne et trouble ma colère;
Et je n'ose résoudre rien,
Quand je trouve un amour de père
En celui qui m'ôta le mien.

Retiens, grande ombre de Maurice,
Mon âme au bord du précipice
Que cette obscurité lui fait,
Et m'aide à faire mieux connaître
Qu'en ton fils Dieu n'a pas fait naître
Un prince à ce point imparfait,
Ou que je méritais de l'être,
Si je ne le suis en effet.

Soutiens ma haine qui chancelle,
Et redoublant pour ta querelle
Cette noble ardeur de mourir,
Fais voir... Mais il m'exauce; on vient me secourir.

SCÈNE II

HÉRACLIUS, PULCHÉRIE

HÉRACLIUS

O ciel ! quel bon démon devers moi vous envoie,
Madame?

PULCHÉRIE

Le tyran, qui veut que je vous voie,
Et met tout en usage afin de s'éclaircir.

HÉRACLIUS

Par vous-même en ce trouble il pense réussir !

PULCHÉRIE

Il le pense, Seigneur, et ce brutal espère
Mieux qu'il ne trouve un fils que je découvre un frère:
Comme si j'étais fille à ne lui rien celer
De tout ce que le sang pourrait me révéler !

HÉRACLIUS

Puisse-t-il par un trait de lumière fidèle
Vous le mieux révéler qu'il ne me le révèle !
Aidez-moi cependant, Madame, à repousser
Les indignes frayeurs dont je me sens presser...

PULCHÉRIE

Ah ! Prince, il ne faut point d'assurance plus claire;
Si vous craignez la mort, vous n'êtes point mon frère :
Ces indignes frayeurs vous ont trop découvert.

HÉRACLIUS

Moi la craindre, Madame ! Ah ! je m'y suis offert.
Qu'il me traite en tyran, qu'il m'envoie au supplice,
Je suis Héraclius, je suis fils de Maurice;
Sous ces noms précieux je cours m'ensevelir,
Et m'étonne si peu que je l'en fais pâlir.
Mais il me traite en père, il me flatte, il m'embrasse;
Je n'en puis arracher une seule menace :
J'ai beau faire et beau dire afin de l'irriter,
Il m'écoute si peu qu'il me force à douter.
Malgré moi, comme fils toujours il me regarde;
Au lieu d'être en prison, je n'ai pas même un garde.
Je ne sais qui je suis, et crains de le savoir;
Je veux ce que je dois, et cherche mon devoir :
Je crains de le haïr, si j'en tiens la naissance;
Je le plains de m'aimer, si je m'en dois vengeance;
Et mon cœur, indigné d'une telle amitié,
En frémit de colère, et tremble de pitié.
De tous ses mouvements mon esprit se défie;
Il condamne aussitôt tout ce qu'il justifie.
La colère, l'amour, la haine et le respect,
Ne me présentent rien qui ne me soit suspect.
Je crains tout, je fuis tout; et dans cette aventure,
Des deux côtés en vain j'écoute la nature.
Secourez donc un frère en ces perplexités.

PULCHÉRIE

Ah ! vous ne l'êtes point, puisque vous en doutez.
Celui qui, comme vous, prétend à cette gloire,
D'un courage plus ferme en croit ce qu'il doit croire.
Comme vous on le flatte, il y sait résister;
Rien ne le touche assez pour le faire douter;

Et le sang, par un double et secret artifice,
Parle en vous pour Phocas, comme en lui pour Maurice.

HÉRACLIUS

A ces marques en lui connaissez Martian :
Il a le cœur plus dur étant fils d'un tyran.
La générosité suit la belle naissance;
La pitié l'accompagne et la reconnaissance.
Dans cette grandeur d'âme un vrai prince affermi
Eſt sensible aux malheurs même d'un ennemi;
La haine qu'il lui doit ne saurait le défendre,
Quand il s'en voit aimé, de s'en laisser surprendre,
Et trouve assez souvent son devoir arrêté
Par l'effort naturel de sa propre bonté.
Cette digne vertu de l'âme la mieux née,
Madame, ne doit pas souiller ma deſtinée.
Je doute; et si ce doute a quelque crime en soi,
C'eſt assez m'en punir que douter comme moi;
Et mon cœur, qui sans cesse en sa faveur se flatte,
Cherche qui le soutienne, et non pas qui l'abatte :
Il demande secours pour mes sens étonnés,
Et non le coup mortel dont vous m'assassinez.

PULCHÉRIE

L'œil le mieux éclairé sur de telles matières
Peut prendre de faux jours pour de vives lumières;
Et comme notre sexe ose assez promptement
Suivre l'impression d'un premier mouvement,
Peut-être qu'en faveur de ma première idée
Ma haine pour Phocas m'a trop persuadée.
Son amour eſt pour vous un poison dangereux;
Et quoique la pitié montre un cœur généreux,
Celle qu'on a pour lui de ce rang dégénère.
Vous le devez haïr, et fût-il votre père :
Si ce titre eſt douteux, son crime ne l'eſt pas.
Qu'il vous offre sa grâce, ou vous livre au trépas,
Il n'eſt pas moins tyran quand il vous favorise,
Puisque c'eſt ce cœur même alors qu'il tyrannise,
Et que votre devoir, par là mieux combattu,
Prince, met en péril jusqu'à votre vertu.
Doutez, mais haïssez; et quoi qu'il exécute,
Je douterai d'un nom qu'un autre vous dispute.
En douter lorsqu'en moi vous cherchez quelque appui,

Si c'est trop peu pour vous, c'est assez contre lui.
L'un de vous est mon frère, et l'autre y peut prétendre :
Entre tant de vertus mon choix se peut méprendre;
Mais je ne puis faillir, dans votre sort douteux,
A chérir l'un et l'autre, et vous plaindre tous deux.
J'espère encor pourtant : on murmure, on menace;
Un tumulte, dit-on, s'élève dans la place;
Exupère est allé fondre sur ces mutins;
Et peut-être de là dépendent nos destins.
Mais Phocas entre.

SCÈNE III

PHOCAS, HÉRACLIUS, MARTIAN
PULCHÉRIE, GARDES

PHOCAS

Eh bien ! se rendra-t-il, Madame?

PULCHÉRIE

Quelque effort que je fasse à lire dans son âme,
Je n'en vois que l'effet que je m'étais promis :
Je trouve trop d'un frère, et vous trop peu d'un fils.

PHOCAS

Ainsi le ciel vous veut enrichir de ma perte.

PULCHÉRIE

Il tient en ma faveur leur naissance couverte :
Ce frère qu'il me rend serait déjà perdu,
Si dedans votre sang il ne l'eût confondu.

PHOCAS, *à Pulchérie.*

Cette confusion peut perdre l'un et l'autre.
En faveur de mon sang je ferai grâce au vôtre;
Mais je veux le connaître, et ce n'est qu'à ce prix
Qu'en lui donnant la vie il me rendra mon fils.
(A Héraclius.)
Pour la dernière fois, ingrat, je t'en conjure;
Car enfin c'est vers toi que penche la nature;

Et je n'ai point pour lui ces doux empressements
Qui d'un cœur paternel font les vrais mouvements.
Ce cœur s'attache à toi par d'invincibles charmes.
En crois-tu mes soupirs? en croiras-tu mes larmes?
Songe avec quel amour mes soins t'ont élevé,
Avec quelle valeur son bras t'a conservé;
Tu nous dois à tous deux.

HÉRACLIUS

Et pour reconnaissance
Je vous rends votre fils, je lui rends sa naissance.

PHOCAS

Tu me l'ôtes, cruel, et le laisses mourir.

HÉRACLIUS

Je meurs pour vous le rendre, et pour le secourir.

PHOCAS

C'est me l'ôter assez que ne vouloir plus l'être.

HÉRACLIUS

C'est vous le rendre assez que le faire connaître.

PHOCAS

C'est me l'ôter assez que me le supposer.

HÉRACLIUS

C'est vous le rendre assez pour vous désabuser.

PHOCAS

Laisse-moi mon erreur, puisqu'elle m'est si chère.
Je t'adopte pour fils, accepte-moi pour père :
Fais vivre Héraclius sous l'un ou l'autre sort;
Pour moi, pour toi, pour lui, fais-toi ce peu d'effort.

HÉRACLIUS

Ah ! c'en est trop enfin, et ma gloire blessée
Dépouille un vieux respect où je l'avais forcée.
De quelle ignominie osez-vous me flatter?
Toutes les fois, tyran, qu'on se laisse adopter,
On veut une maison illustre autant qu'amie,
On cherche de la gloire, et non de l'infamie;

Et ce serait un monstre horrible à vos États
Que le fils de Maurice adopté par Phocas.

PHOCAS

Va, cesse d'espérer la mort que tu mérites :
Ce n'est que contre lui, lâche, que tu m'irrites;
Tu te veux rendre en vain indigne de ce rang :
Je m'en prends à la cause, et j'épargne mon sang.
Puisque ton amitié de ma foi se défie
Jusqu'à prendre son nom pour lui sauver la vie,
Soldats, sans plus tarder, qu'on l'immole à ses yeux;
Et sois après sa mort mon fils, si tu le veux.

HÉRACLIUS

Perfides, arrêtez !

MARTIAN

Ah ! que voulez-vous faire,
Prince ?

HÉRACLIUS

Sauver le fils de la fureur du père.

MARTIAN

Conservez-lui ce fils qu'il ne cherche qu'en vous :
Ne troublez point un sort qui lui semble si doux.
C'est avec assez d'heur qu'Héraclius expire,
Puisque c'est en vos mains que tombe son empire.
Le ciel daigne bénir votre sceptre et vos jours !

PHOCAS

C'est trop perdre de temps à souffrir ces discours.
Dépêche, Octavian.

HÉRACLIUS

N'attente rien, barbare !
Je suis...

PHOCAS

Avoue enfin.

HÉRACLIUS

Je tremble, je m'égare,
Et mon cœur...

PHOCAS, *à Héraclius.*

Tu pourras à loisir y penser.

(A Octavian.)

Frappe.

HÉRACLIUS

Arrête; je suis... Puis-je le prononcer?

PHOCAS

Achève, ou...

HÉRACLIUS

Je suis donc, s'il faut que je le die,
Ce qu'il faut que je sois pour lui sauver la vie.
Oui, je lui dois assez, Seigneur, quoi qu'il en soit,
Pour vous payer pour lui de l'amour qu'il vous doit;
Et je vous le promets entier, ferme, sincère,
Et tel qu'Héraclius l'aurait pour son vrai père.
J'accepte en sa faveur ses parents pour les miens;
Mais sachez que vos jours me répondront des siens :
Vous me serez garant des hasards de la guerre,
Des ennemis secrets, de l'éclat du tonnerre;
Et de quelque façon que le courroux des cieux
Me prive d'un ami qui m'est si précieux,
Je vengerai sur vous, et fussiez-vous mon père,
Ce qu'aura fait sur lui leur injuste colère.

PHOCAS

Ne crains rien : de tous deux je ferai mon appui;
L'amour qu'il a pour moi m'assure trop de lui :
Mon cœur pâme de joie, et mon âme n'aspire
Qu'à vous associer l'un et l'autre à l'empire.
J'ai retrouvé mon fils; mais sois-le tout à fait,
Et donne-m'en pour marque un véritable effet;
Ne laisse plus de place à la supercherie;
Pour achever ma joie, épouse Pulchérie.

HÉRACLIUS

Seigneur, elle est ma sœur.

PHOCAS

Tu n'es donc point mon fils,
Puisque si lâchement déjà tu t'en dédis?

PULCHÉRIE

Qui te donne, tyran, une attente si vaine?
Quoi? son consentement étoufferait ma haine!
Pour l'avoir étonné tu m'aurais fait changer!
J'aurais pour cette honte un cœur assez léger!
Je pourrais épouser ou ton fils ou mon frère!

SCÈNE IV

PHOCAS, HÉRACLIUS, MARTIAN
PULCHÉRIE, CRISPE, GARDES

CRISPE

Seigneur, vous devez tout au grand cœur d'Exupère :
Il est l'unique auteur de nos meilleurs destins :
Lui seul et ses amis ont dompté vos mutins;
Il a fait prisonnier leur chef, qu'il vous amène.

PHOCAS

Dis-lui qu'il me les garde en la salle prochaine;
Je vais de leurs complots m'éclaircir avec eux.

(Crispe s'en va, et Phocas parle à Héraclius.)

Toi, cependant, ingrat, sois mon fils, si tu veux.
En l'état où je suis, je n'ai plus lieu de feindre :
Les mutins sont domptés, et je cesse de craindre.
Je vous laisse tous trois.

(A Pulchérie.)

Use bien du moment
Que je prends pour en faire un juste châtiment;
Et si tu n'aimes mieux que l'un et l'autre meure,
Trouve ou choisis mon fils, et l'épouse sur l'heure;
Autrement, si leur sort demeure encor douteux,
Je jure à mon retour qu'ils périront tous deux.
Je ne veux point d'un fils dont l'implacable haine
Prend ce nom pour affront et mon amour pour gêne.
Toi...

PULCHÉRIE

Ne menace point; je suis prête à mourir.

PHOCAS

A mourir ! jusque-là je pourrais te chérir !
N'espère pas de moi cette faveur suprême,
Et pense...

PULCHÉRIE

A quoi, tyran?

PHOCAS

A m'épouser moi-même
Au milieu de leur sang à tes pieds répandu.

PULCHÉRIE

Quel supplice !

PHOCAS

Il eſt grand pour toi; mais il t'eſt dû.
Tes mépris de la mort bravaient trop ma colère.
Il eſt en toi de perdre ou de sauver ton frère;
Et du moins, quelque erreur qui puisse me troubler,
J'ai trouvé les moyens de te faire trembler.

SCÈNE V

HÉRACLIUS, MARTIAN, PULCHÉRIE

PULCHÉRIE

Le lâche, il vous flattait lorsqu'il tremblait dans l'âme.
Mais tel eſt d'un tyran le naturel infâme :
Sa douceur n'a jamais qu'un mouvement contraint;
S'il ne craint, il opprime; et s'il n'opprime, il craint.
L'une et l'autre fortune en montre la faiblesse;
L'une n'eſt qu'insolence, et l'autre que bassesse.
A peine eſt-il sorti de ces lâches terreurs
Qu'il a trouvé pour moi le comble des horreurs.
Mes frères, puisque enfin vous voulez tous deux l'être,
Si vous m'aimez en sœur, faites-le-moi paraître.

HÉRACLIUS

Que pouvons-nous tous deux, lorsqu'on tranche nos [jours?

PULCHÉRIE

Un généreux conseil eﬆ un puissant secours.

MARTIAN

Il n'eﬆ point de conseil qui vous soit salutaire,
Que d'épouser le fils pour éviter le père :
L'horreur d'un mal plus grand vous y doit disposer.

PULCHÉRIE

Qui me le montrera, si je veux l'épouser?
Et, dans cet hyménée à ma gloire funeﬆe,
Qui me garantira des périls de l'inceﬆe?

MARTIAN

Je le vois trop à craindre et pour vous et pour nous;
Mais, Madame, on peut prendre un vain titre d'époux,
Abuser du tyran la rage forcenée
Et vivre en frère et sœur sous un feint hyménée.

PULCHÉRIE

Feindre, et nous abaisser à cette lâcheté !

HÉRACLIUS

Pour tromper un tyran, c'eﬆ générosité,
Et c'eﬆ mettre, en faveur d'un frère qu'il vous donne,
Deux ennemis secrets auprès de sa personne,
Qui dans leur juﬆe haine animés et conﬆants,
Sur l'ennemi commun sauront prendre leur temps,
Et terminer bientôt la feinte avec sa vie.

PULCHÉRIE

Pour conserver vos jours et fuir mon infamie,
Feignons, vous le voulez, et j'y résiﬆe en vain.
Sus donc, qui de vous deux me prêtera la main?
Qui veut feindre avec moi? qui sera mon complice?

HÉRACLIUS

Vous, Prince, à qui le ciel inspire l'artifice.

MARTIAN

Vous, que veut le tyran pour fils obﬆinément.

HÉRACLIUS

Vous, qui depuis quatre ans la servez en amant.

MARTIAN

Vous saurez mieux que moi surprendre sa tendresse.

HÉRACLIUS

Vous saurez mieux que moi la traiter de maîtresse.

MARTIAN

Vous aviez commencé tantôt d'y consentir.

PULCHÉRIE

Ah! princes, votre cœur ne peut se démentir;
Et vous l'avez tous deux trop grand, trop magnanime,
Pour souffrir sans horreur l'ombre même d'un crime.
Je vous connaissais trop pour juger autrement
Et de votre conseil et de l'événement,
Et je n'y déférais que pour vous voir dédire.
Toute fourbe est honteuse aux cœurs nés pour l'empire;
Princes, attendons tout, sans consentir à rien.

HÉRACLIUS

Admirez cependant quel malheur est le mien.
L'obscure vérité que de mon sang je signe,
Du grand nom qui me perd ne peut me rendre digne :
On n'en croit pas ma mort; et je perds mon trépas,
Puisque mourant pour lui je ne le sauve pas.

MARTIAN

Voyez d'autre côté quelle est ma destinée,
Madame : dans le cours d'une seule journée,
Je suis Héraclius, Léonce et Martian;
Je sors d'un empereur, d'un tribun, d'un tyran.
De tous trois ce désordre en un jour me fait naître,
Pour me faire mourir enfin sans me connaître.

PULCHÉRIE

Cédez, cédez tous deux aux rigueurs de mon sort :
Il a fait contre vous un violent effort.
Votre malheur est grand; mais quoi qu'il en succède,
La mort qu'on me refuse en sera le remède;
Et moi... Mais que nous veut ce perfide?

SCÈNE VI

HÉRACLIUS, MARTIAN, PULCHÉRIE,
AMINTAS

AMINTAS

Mon bras
Vient de laver ce nom dans le sang de Phocas.

HÉRACLIUS

Que nous dis-tu?

AMINTAS

Qu'à tort vous nous prenez pour traîtres;
Qu'il n'eſt plus de tyran; que vous êtes les maîtres.

HÉRACLIUS

De quoi?

AMINTAS

De tout l'empire.

MARTIAN

Et par toi?

AMINTAS

Non, Seigneur :
Un autre en a la gloire, et j'ai part à l'honneur.

HÉRACLIUS

Et quelle heureuse main finit notre misère?

AMINTAS

Princes, l'auriez-vous cru? c'eſt la main d'Exupère.

MARTIAN

Lui qui me trahissait?

AMINTAS

C'eſt de quoi s'étonner :
Il ne vous trahissait que pour vous couronner.

HÉRACLIUS

N'a-t-il pas des mutins dissipé la furie?

AMINTAS

Son ordre excitait seul cette mutinerie.

MARTIAN

Il en a pris les chefs, toutefois?

AMINTAS

Admirez
Que ces prisonniers même avec lui conjurés
Sous cette illusion couraient à leur vengeance :
Tous contre ce barbare étant d'intelligence,
Suivis d'un gros d'amis nous passons librement
Au travers du palais à son appartement.
La garde y restait faible, et sans aucun ombrage;
Crispe même à Phocas porte notre message :
Il vient; à ses genoux on met les prisonniers,
Qui tirent pour signal leurs poignards les premiers.
Le reste, impatient dans sa noble colère,
Enferme la victime; et soudain Exupère :
« Qu'on arrête, dit-il; le premier coup m'est dû;
C'est lui qui me rendra l'honneur presque perdu. »
Il frappe, et le tyran tombe aussitôt sans vie,
Tant de nos mains la sienne est promptement suivie.
Il s'élève un grand bruit, et mille cris confus
Ne laissent discerner que « Vive Héraclius ! »
Nous saisissons la porte, et les gardes se rendent.
Mêmes cris aussitôt de tous côtés s'entendent;
Et de tant de soldats qui lui servaient d'appui,
Phocas, après sa mort, n'en a pas un pour lui.

PULCHÉRIE

Quel chemin Exupère a pris pour sa ruine !

AMINTAS

Le voici qui s'avance avecque Léontine.

SCÈNE VII

HÉRACLIUS, MARTIAN, LÉONTINE,
PULCHÉRIE, EUDOXE, EXUPÈRE,
AMINTAS, TROUPE

HÉRACLIUS, *à Léontine.*

Est-il donc vrai, Madame? et changeons-nous de sort?
Amintas nous fait-il un fidèle rapport?

LÉONTINE

Seigneur, un tel succès à peine est concevable;
Et d'un si grand dessein la conduite admirable...

HÉRACLIUS, *à Exupère.*

Perfide généreux, hâte-toi d'embrasser
Deux princes impuissants à te récompenser.

EXUPÈRE, *à Héraclius.*

Seigneur, il me faut grâce ou de l'un ou de l'autre :
J'ai répandu son sang, si j'ai vengé le vôtre.

MARTIAN

Qui que ce soit des deux, il doit se consoler
De la mort d'un tyran qui voulait l'immoler :
Je ne sais quoi pourtant dans mon cœur en murmure.

HÉRACLIUS

Peut-être en vous par là s'explique la nature;
Mais, Prince, votre sort n'en sera pas moins doux :
Si l'empire est à moi, Pulchérie est à vous.
Puisque le père est mort, le fils est digne d'elle.
(*A Léontine.*)
Terminez donc, Madame, enfin notre querelle.

LÉONTINE

Mon témoignage seul peut-il en décider?

MARTIAN

Quelle autre sûreté pourrions-nous demander?

LÉONTINE

Je vous puis être encor suspecte d'artifice.
Non, ne m'en croyez pas : croyez l'Impératrice.
(A Pulchérie, lui donnant un billet.)
Vous connaissez sa main, Madame; et c'est à vous
Que je remets le sort d'un frère et d'un époux.
Voyez ce qu'en mourant me laissa votre mère.

PULCHÉRIE

J'en baise en soupirant le sacré caractère.

LÉONTINE

Apprenez d'elle enfin quel sang vous a produits,
Princes.

HÉRACLIUS, *à Eudoxe.*

Qui que je sois, c'est à vous que je suis.

BILLET DE CONSTANTINE

PULCHÉRIE, *lit.*

Parmi tant de malheurs mon bonheur est étrange :
Après avoir donné son fils au lieu du mien,
Léontine à mes yeux, par un second échange,
Donne encore à Phocas mon fils au lieu du sien.
Vous qui pourrez douter d'un si rare service,
Sachez qu'elle a deux fois trompé notre tyran :
Celui qu'on croit Léonce est le vrai Martian,
Et le faux Martian est vrai fils de Maurice.

CONSTANTINE.

PULCHÉRIE, *à Héraclius.*

Ah! vous êtes mon frère!

HÉRACLIUS, *à Pulchérie.*

Et c'est heureusement
Que le trouble éclairci vous rend à votre amant.

LÉONTINE, *à Héraclius.*

Vous en saviez assez pour éviter l'inceste,
Et non pas pour vous rendre un tel secret funeste.

(A Martian.)

Mais pardonnez, Seigneur, à mon zèle parfait
Ce que j'ai voulu faire, et ce qu'un autre a fait.

MARTIAN

Je ne m'oppose point à la commune joie;
Mais souffrez des soupirs que la nature envoie.
Quoique jamais Phocas n'ait mérité d'amour,
Un fils ne peut moins rendre à qui l'a mis au jour :
Ce n'est pas tout d'un coup qu'à ce titre on renonce.

HÉRACLIUS

Donc, pour mieux l'oublier, soyez encor Léonce :
Sous ce nom glorieux aimez ses ennemis,
Et meure du tyran jusqu'au nom de son fils !

(A Eudoxe.)

Vous, Madame, acceptez et ma main et l'empire
En échange d'un cœur pour qui le mien soupire.

EUDOXE, *à Héraclius.*

Seigneur, vous agissez en prince généreux.

HÉRACLIUS, *à Exupère et Amintas.*

Et vous dont la vertu me rend ce trouble heureux,
Attendant les effets de ma reconnaissance,
Reconnaissons, amis, la céleste puissance :
Allons lui rendre hommage, et d'un esprit content
Montrer Héraclius au peuple qui l'attend.

ANDROMÈDE

TRAGÉDIE

A M. M. M. M.

MADAME,

C'eſt vous rendre un hommage bien secret que de vous le rendre ainsi, et je m'assure que vous aurez de la peine vous-même à reconnaître que c'eſt à vous à qui je dédie cet ouvrage. Ces quatre lettres hiéroglyphiques vous embarrasseront aussi bien que les autres, et vous ne vous apercevrez jamais qu'elles parlent de vous, jusqu'à ce que je vous les explique; alors vous m'avouerez sans doute que je suis fort exact à ma parole, et fort ponctuel à l'exécution de vos commandements. Vous l'avez voulu, et j'obéis; je vous l'ai promis, et je m'acquitte. C'eſt peut-être vous en dire trop pour un homme qui se veut cacher quelque temps à vous-même; et pour peu que vous fassiez de réflexion sur mes dernières visites, vous devinerez à demi que c'eſt à vous que ce compliment s'adresse. N'achevez pas, je vous prie, et laissez-moi la joie de vous surprendre par la confidence que je vous en dois. Je vous en conjure par tout le mérite de mon obéissance, et ne vous dis point en quoi les belles qualités d'Andromède approchent de vos perfections, ni quel rapport ses aventures ont avec les vôtres; ce serait vous faire un miroir où vous vous verriez trop aisément, et vous ne pourriez plus rien ignorer de ce que j'ai à vous dire. Préparez-vous simplement à la recevoir, non pas tant comme un des plus beaux ſpectacles que la France ait vus, que comme une marque reſpectueuse de l'attachement inviolable à votre service, dont fait vœu,

MADAME,

Votre très-humble, très-obéissant et très-obligé serviteur,

CORNEILLE.

ARGUMENT

TIRÉ DU QUATRIÈME ET DU CINQUIÈME LIVRE
DES MÉTAMORPHOSES D'OVIDE

« Cassiope, femme de Céphée, roi d'Éthiopie, fut si vaine de sa beauté, qu'elle osa la préférer à celle des Néréides, dont ces nymphes irritées firent sortir de la mer un monſtre, qui fit de si étranges ravages sur les terres de l'obéissance du Roi son mari, que les forces humaines ne pouvant donner aucun remède à des misères si grandes, on recourut à l'oracle de Jupiter Ammon. La réponse qu'en reçurent ces malheureux princes fut un commandement d'exposer à ce monſtre Andromède, leur fille unique, pour en être dévorée. Il fallut exécuter ce triſte arrêt; et cette illuſtre victime fut attachée à un rocher, où elle n'attendait que la mort, lorsque Persée, fils de Jupiter et de Danaé, passant par hasard, jeta les yeux sur elle : il revenait de la conquête glorieuse de la tête de Méduse, qu'il portait sous son bouclier, et volait au milieu de l'air au moyen des ailes qu'il avait attachées aux deux pieds, de la façon qu'on nous peint Mercure. Ce fut d'elle-même qu'il apprit la cause de sa disgrâce; et l'amour que ses premiers regards lui donnèrent lui fit en même temps former le dessein de combattre ce monstre, pour conserver des jours qui lui étaient devenus précieux. Avant que d'entrer au combat, il eut loisir de tirer parole de ses parents que les fruits en seraient pour lui, et reçut les effets de cette promesse sitôt qu'il eut tué le monstre.

Le Roi et la Reine donnèrent avec grande joie leur fille à son libérateur; mais la magnificence des noces fut troublée par la violence que voulut faire Phinée, frère du Roi, et oncle de la Princesse, à qui elle avait été promise avant son malheur. Il se jeta dans le palais royal avec une troupe de gens armés; et Persée s'en défendit quelque temps sans autre secours que celui de sa valeur et de quelques amis généreux : mais se voyant près de succomber sous le nombre, il se servit enfin de cette tête de Méduse, qu'il tira de sous son bouclier; et l'exposant aux yeux de Phinée et des assassins qui le suivaient, cette fatale vue les convertit en autant de statues de pierre, qui servirent d'ornement au même palais qu'ils voulaient teindre du sang de ce héros. »

Voilà comme Ovide raconte cette fable, où j'ai changé beaucoup de choses, tant par la liberté de l'art que par la nécessité des ordres du théâtre, et pour lui donner plus d'agrément.

En premier lieu, j'ai cru plus à propos de faire Cassiope vaine de la beauté de sa fille que de la sienne propre, d'autant qu'il est fort extraordinaire qu'une femme dont la fille est en âge d'être mariée ait encore d'assez beaux restes pour s'en vanter si hautement, et qu'il n'est pas vraisemblable que cet orgueil de Cassiope pour elle-même eût attendu si tard à éclater, vu que c'est dans la jeunesse que la beauté étant plus parfaite et le jugement moins formé, donnent plus de lieu à des vanités de cette nature, et non pas alors que cette même beauté commence d'être sur le retour, et que l'âge a mûri l'esprit de la personne qui s'en serait enorgueillie en un autre temps.

Ensuite, j'ai supposé que l'oracle d'Ammon n'avait pas condamné précisément Andromède à être dévorée par le monstre, mais qu'il avait ordonné seulement qu'on lui exposât tous les mois une fille, qu'on tirât au sort pour voir celle qui lui devait être livrée, et que cet ordre ayant déjà été exécuté cinq fois, on était au jour qu'il le fallait suivre pour la sixième.

J'ai introduit Persée comme un chevalier errant qui s'est arrêté depuis un mois dans la cour de Céphée, et non pas comme se rencontrant par hasard dans le temps qu'Andromède est attachée au rocher. Je lui ai donné de l'amour pour elle, qu'il n'ose découvrir, parce qu'il la voit promise à Phinée, mais qu'il nourrit toutefois d'un peu d'espoir, parce qu'il voit son mariage différé jusques à la fin des malheurs publics. Je l'ai fait plus généreux qu'il n'est dans Ovide, où il n'entreprend la délivrance de cette princesse qu'après que ses parents l'ont assuré qu'elle l'épouserait sitôt qu'il l'aurait délivrée. J'ai changé aussi la qualité de Phinée, que j'ai fait seulement neveu du Roi, dont Ovide le nomme frère, le mariage de deux cousins me semblant plus supportable dans nos façons de vivre que celui de l'oncle et de la nièce, qui eût pu sembler un peu plus étrange à mes auditeurs.

Les peintres, qui cherchent à faire paraître leur art dans les nudités, ne manquent jamais à nous représenter Andromède nue au pied du rocher où elle est attachée, quoique Ovide n'en parle point. Ils me pardonneront si je ne les ai pas suivis en cette invention, comme j'ai fait en celle du cheval Pégase, sur lequel ils montent Persée pour combattre le monstre, quoique Ovide ne lui donne que des ailes aux talons. Ce changement donne lieu à une machine tout extraordinaire et merveilleuse, et empêche que Persée ne soit pris pour Mercure; outre qu'ils ne le mettent pas en cet équipage sans fondement, vu que le même Ovide raconte que sitôt que Persée eut coupé la monstrueuse tête de Méduse, Pégase tout ailé sortit de cette Gorgone, et que Persée s'en put saisir dès lors pour faire ses courses par le milieu de l'air.

Nos globes célestes, où l'on marque pour constellation Céphée, Cassiope, Persée et Andromède, m'ont donné jour à les faire enlever tous quatre au ciel sur la fin de la pièce, pour y faire les noces de ces amants, comme si la terre n'en était pas digne.

Au reste, comme Ovide ne nomme point la ville où il fait arriver cette aventure, je ne me suis non plus enhardi à la nommer : il dit pour toute chose que Céphée régnait en Éthiopie, sans désigner sous quel climat. La topographie moderne de ces contrées-là n'est pas fort connue, et celle du temps de Céphée encore moins. Je me contenterai donc de vous dire qu'il fallait que Céphée régnât en quelque pays maritime, que sa ville capitale fût sur les bords de la mer, et que ses peuples fussent blancs, quoique Éthiopiens. Ce n'est pas que les Mores les plus noirs n'ayent leurs beautés à leur mode; mais il n'est pas vraisemblable que Persée, qui était Grec, et né dans Argos, fût devenu amoureux d'Andromède, si elle eût été de leur teint. J'ai pour moi le consentement de tous les peintres et surtout l'autorité du grand Héliodore, qui ne fonde la blancheur de sa divine Chariclée que sur un tableau d'Andromède. Ma scène sera donc, s'il vous plaît, dans la ville capitale de Céphée, proche la mer; et pour le nom, vous le lui donnerez tel qu'il vous plaira.

Vous trouverez cet ordre gardé dans les changements de théâtre, que chaque acte, aussi bien que le prologue, a sa décoration particulière, et du moins une machine volante, avec un concert de musique, que je n'ai employé qu'à satisfaire les oreilles des spectateurs, tandis que leurs yeux sont arrêtés à voir descendre ou remonter une machine, ou s'attachent à quelque chose qui leur empêche de prêter attention à ce que pourraient dire les acteurs, comme fait le combat de Persée contre le monstre; mais je me suis bien gardé de faire rien chanter qui fût nécessaire à l'intelligence de la pièce, parce que communément les paroles qui se chantent étant mal entendues des auditeurs, pour la confusion qu'y apporte la diversité des voix qui les prononcent ensemble, elles auraient fait une grande obscurité dans le corps de l'ouvrage, si elles avaient eu à instruire l'auditeur de quelque chose d'important. Il n'en va pas de même des machines, qui ne sont pas dans cette tragédie comme des agréments détachés; elles en font le nœud et le dénouement, et y sont si nécessaires, que vous n'en sauriez retrancher aucune que vous ne fassiez tomber tout l'édifice. J'ai été assez heureux à les inventer et à leur donner place dans la tissure de ce poëme; mais aussi faut-il que j'avoue que le sieur Torelli s'est surmonté lui-même à en exécuter les desseins, et qu'il a eu des inventions admirables pour les faire agir à propos : de sorte que s'il m'est dû quelque gloire pour avoir introduit cette Vénus dans le premier acte, qui fait le nœud de cette tragédie par l'oracle ingénieux qu'elle prononce, il lui en est dû bien davantage pour l'avoir fait venir de si loin, et descendre au milieu de l'air dans cette magnifique étoile, avec tant d'art et de pompe qu'elle remplit tout le monde d'étonnement et d'admiration. Il en faut dire autant des autres que j'ai introduites, et dont il a inventé l'exécution, qui en a rendu le spectacle si merveilleux qu'il sera malaisé d'en faire un plus beau de cette nature. Pour moi, je confesse ingénument que, quelque effort d'imagination que j'aye fait depuis, je n'ai pu découvrir encore un sujet capable de tant d'ornements extérieurs, et où les machines pussent être distribuées avec tant de justesse; je n'en désespère pas toutefois, et peut-être que le temps en fera éclater quelqu'un assez brillant et assez heureux pour me faire dédire de ce que j'avance. En attendant, recevez celui-ci comme le plus achevé qui aye encore paru sur nos théâtres; et souffrez que la beauté de la représentation supplée au manque des beaux vers, que vous n'y trouverez pas en si grande quantité que dans *Cinna* ou dans *Rodogune,* parce que mon principal but ici a été de satisfaire la vue par l'éclat et la diversité du spectacle, et non pas de toucher l'esprit par la force du raisonnement, ou le cœur par la délicatesse des passions. Ce n'est pas que j'en aye fui ou négligé aucunes occasions; mais il s'en est rencontré si peu, que j'aime mieux avouer que cette pièce n'est que pour les yeux.

EXAMEN

Le sujet de cette pièce est si connu par ce qu'en dit Ovide aux 4. et 5. livres de ses *Métamorphoses,* qu'il n'est point besoin d'en importuner le lecteur. Je me contenterai de lui rendre compte de ce que j'y ai changé, tant par la liberté de l'art, que par la nécessité de l'ordre du théâtre, et pour donner plus d'éclat à sa représentation.

En premier lieu, j'ai cru plus à propos de faire Cassiope vaine de la beauté de sa fille que de la sienne propre, d'autant qu'il eſt fort extraordinaire qu'une femme dont la fille eſt en âge d'être mariée ait encore d'assez beaux reſtes pour s'en vanter si hautement, et qu'il n'eſt pas vraisemblable que cet orgueil de Cassiope pour elle-même eût attendu si tard à éclater, vu que c'eſt dans la jeunesse que la beauté eſt plus parfaite, et que le jugement étant moins formé donne plus de lieu à des vanités de cette nature, et non pas alors que cette même beauté commence d'être sur le retour, et que l'âge a mûri l'esprit de la personne qui s'en serait enorgueillie en un autre temps.

Ensuite, j'ai supposé que l'oracle d'Ammon n'avait pas condamné précisément Andromède à être dévorée par le monſtre, mais qu'il avait ordonné seulement qu'on lui exposât tous les mois une fille, qu'on jetât le sort pour voir celle qui lui devait être livrée; et que cet ordre ayant déjà été exécuté cinq fois, on était au jour qu'il le fallait suivre pour la sixième, qui par là devient un jour illuſtre, remarquable, et attendu non-seulement par tous les acteurs de la tragédie, mais par tous les sujets d'un roi.

J'ai introduit Persée comme un chevalier errant qui s'eſt arrêté depuis un mois dans la cour de Céphée, et non pas comme se rencontrant par hasard dans le temps qu'Andromède eſt attachée au rocher. Je lui ai donné de l'amour pour elle, qu'il n'ose découvrir, parce qu'il la voit promise à Phinée, mais qu'il nourrit toutefois d'un peu d'espoir, parce qu'il voit son mariage différé jusqu'à la fin des malheurs publics. Je l'ai fait plus généreux qu'il n'eſt dans Ovide, où il n'entreprend la délivrance de cette princesse qu'après que ses parents l'ont assuré qu'elle l'épouserait sitôt qu'il l'aurait délivrée. J'ai changé aussi la qualité de Phinée, que j'ai fait seulement neveu du Roi, dont Ovide le nomme frère, le mariage de deux cousins me semblant plus supportable dans nos façons de vivre que celui de l'oncle et de la nièce, qui eût paru un peu plus étrange à mes auditeurs.

Les peintres, qui cherchent à faire voir leur art dans les nudités, ne manquent jamais à nous représenter Andromède nue au pied du rocher où elle eſt attachée, quoique Ovide n'en parle point. Ils me pardonneront si je ne les ai pas suivis en cette invention, comme j'ai fait en celle du cheval Pégase, sur lequel ils montent Persée pour combattre le monſtre, quoique Ovide ne lui donne que des ailes aux talons. Ce changement donne lieu à une machine tout extraordinaire, merveilleuse, et empêche que Persée ne soit pris pour Mercure; outre qu'ils ne le mettent pas en cet équipage sans fondement, vu que le même Ovide raconte que sitôt que Persée eut coupé la monſtrueuse tête de Méduse, Pégase tout ailé sortit de cette Gorgone, et que Persée s'en put saisir dès lors pour faire ses courses par le milieu de l'air.

Nos globes célestes, où l'on marque pour constellations Céphée, Cassiope, Persée et Andromède, m'ont donné jour à les faire enlever tous quatre au ciel sur la fin de la pièce, pour y faire les noces de ces amants, comme si la terre n'en était pas digne.

Au reste, comme Ovide ne nomme point la ville où il fait arriver cette aventure, je ne me suis non plus enhardi à la nommer. Il dit pour toute chose que Céphée régnait en Éthiopie, sans désigner sous quel climat. La topographie moderne de ces contrées-là n'est pas fort connue, et celle du temps de Céphée encore moins. Je me contenterai donc de vous dire qu'il fallait que Céphée régnât en quelque pays maritime, et que sa ville capitale fût sur le bord de la mer.

Je sais bien qu'au rapport de Pline les habitants de Joppé, qu'on nomme aujourd'hui Jaffa dans la Palestine, ont prétendu que cette histoire s'était passée chez eux : ils envoyèrent à Rome des os de poisson d'une grandeur extraordinaire, qu'ils disaient être du monstre à qui Andromède avait été exposée. Ils montraient un rocher proche de leur ville, où ils assuraient qu'elle avait été attachée; et encore maintenant ils se vantent de ces marques d'antiquité à nos pèlerins qui vont en Jérusalem, et prennent terre en leur port. Il se peut faire que cela parte d'une affectation autrefois assez ordinaire aux peuples du paganisme, qui s'attribuaient à haute gloire d'avoir chez eux ces vestiges de la vieille Fable, que l'erreur commune y faisait passer pour histoire. Ils se croyaient par là bien fondés à se donner cette prérogative d'être d'une origine plus ancienne que leurs voisins, et prenaient avidement toute sorte d'occasions de satisfaire à cette ambition. Ainsi il n'a fallu que la rencontre par hasard de ces os monstrueux que la mer avait jetés sur leurs rivages, pour leur donner lieu de s'emparer de cette fiction, et de placer la scène de cette aventure au pied de leurs rochers. Pour moi, je me suis attaché à Ovide, qui la fait arriver en Éthiopie, où il met le royaume de Céphée par ces vers :

> *Æthiopum populos, Cepheaque conspicit arva ;*
> *Illic immeritam maternae pendere linguae*
> *Andromedam pœnas,* etc.

Il se pouvait faire que Céphée eût conquis cette ville de Joppé, et la Syrie même, où elle est située. Pline l'assure au 29. chapitre du 6. livre, par cette raison que l'histoire d'Andromède s'y est passée : *Æthiopiam imperitasse Syriae Cephei regis aetate, patet Andromedae fabulis.* Mais ceux qui voudront contester cette opinion peuvent répondre que ce n'est que prouver une erreur par une autre erreur, et éclaircir une chose douteuse par une encore plus incertaine. Quoi qu'il en soit, celle d'Ovide ne peut subsister avec celle-là; et quelques bons yeux qu'eût Persée, il est impossible qu'il découvrît d'une seule vue l'Éthiopie et Joppé, ce qu'il aurait dû faire, si ce qu'entend le poète par *Cephea arva* n'était autre chose que son territoire.

Le même Ovide, dans quelqu'une de ses épîtres, ne fait pas Andromède blanche, mais basanée :

Andromede patriae fusca colore suae.

Néanmoins, dans la Métamorphose, il nous en donne une autre idée à former, lorsqu'il dit que, n'eût été ses cheveux qui voltigeaient au gré du vent, et les larmes qui lui coulaient des yeux, Persée l'eût prise pour une statue de marbre :

Marmoreum ratus esset opus;

Ce qui semble ne se pouvoir entendre que du marbre blanc étant assez inouï que l'on compare la beauté d'une fille à une autre sorte de marbre. D'ailleurs, pour la préférer à celle des Néréides que jamais on n'a fait noires, il fallait que son teint eût quelque rapport avec le leur, et que par conséquent elle n'eût pas celui que communément nous donnons aux Éthiopiens. Disons donc qu'elle était blanche, puisque à moins que cela il n'aurait pas été vraisemblable que Persée, qui était né dans la Grèce, fût devenu amoureux d'elle. Nous aurons de ce parti le consentement de tous les peintres, et l'autorité du grand Héliodore, qui n'a fondé la blancheur de sa Chariclée que sur un tableau d'Andromède. Pline, au huitième chapitre de son cinquième livre, fait mention de certains peuples d'Afrique qu'il appelle *Leuco-Æthiopes.* Si l'on s'arrête à l'étymologie de leur nom, ces peuples devaient être blancs, et nous ne pouvons faire les sujets de Céphée, pour donner à cette tragédie toute la justesse dont elle a besoin touchant la couleur des personnages qu'elle introduit sur la scène.

Vous y trouverez cet ordre gardé dans les changements de théâtre, que chaque acte, aussi bien que le prologue, a sa décoration particulière, et du moins une machine volante, avec un concert de musique, que je n'ai employé qu'à satisfaire les oreilles des spectateurs, tandis que leurs yeux sont arrêtés à voir descendre ou remonter une machine, ou s'attachent à quelque chose qui les empêche de prêter attention à ce que pourraient dire les acteurs, comme fait le combat de Persée contre le monstre. Mais je me suis bien gardé de faire rien chanter qui fût nécessaire à l'intelligence de la pièce, parce que communément les paroles qui se chantent étant mal entendues des auditeurs, pour la confusion qu'y apporte la diversité des voix qui les prononcent ensemble, elles auraient fait une grande obscurité dans le corps de l'ouvrage, si elles avaient eu à les instruire de quelque chose qui fût important. Il n'en va pas de même des machines, qui ne sont pas dans cette tragédie comme des agréments détachés; elles en font en quelque sorte le nœud et le dénouement, et y sont si nécessaires que vous n'en sauriez retrancher aucune que vous ne fassiez tomber tout l'édifice.

Les diverses décorations dont les pièces de cette nature ont besoin, nous obligeant à placer les parties de l'action en divers lieux particuliers, nous forcent de pousser un peu au delà de l'ordinaire l'étendue du lieu général qui les renferme ensemble et en constitue l'unité. Il est malaisé qu'une ville y suffise : il y faut ajouter quelques dehors voisins, comme est ici le rivage de la mer. C'est la seule décoration que la Fable m'a fournie : les quatre autres sont de pure invention. Il aurait été superflu de les spécifier dans les vers, puisqu'elles sont présentes à la vue; et je ne tiens pas qu'il soit besoin qu'elles soient si propres à ce qui s'y passe, qu'il ne se soit pu passer ailleurs aussi commodément; il suffit qu'il n'y aye pas de raison pourquoi il se doive plutôt passer ailleurs qu'au lieu où il se passe. Par exemple, le premier acte est une place publique proche du temple, où se doit jeter le sort pour savoir quelle victime on doit ce jour-là livrer au monstre : tout ce qui s'y dit se dirait aussi bien dans un palais ou dans un jardin; mais il se dit aussi bien dans cette place qu'en ce jardin ou dans ce palais. Nous pouvons choisir un lieu selon le vraisemblable ou le nécessaire; et il suffit qu'il n'y aye aucune répugnance du côté de l'action au choix que nous en faisons, pour le rendre vraisemblable, puisque cette action ne nous présente pas toujours un lieu nécessaire, comme est la mer et ses rochers au troisième acte, où l'on voit l'exposition d'Andromède, et le combat de Persée contre le monstre, qui ne pouvait se faire ailleurs. Il faut néanmoins prendre garde à choisir d'ordinaire un lieu découvert, à cause des apparitions des Dieux qu'on introduit. Andromède, au second acte, serait aussi bien dans son cabinet que dans le jardin, où je la fais s'entretenir avec ses nymphes et avec son amant; mais comment se ferait l'apparition d'Éole dans ce cabinet? et comment les vents l'en pourraient-ils enlever, à moins de la faire passer par la cheminée, comme nos sorciers? Par cette raison, il y peut avoir quelque chose à dire à celle de Junon, au quatrième acte qui se passe dans la salle du palais royal; mais comme ce n'est qu'une apparition simple d'une déesse, qui peut se montrer et disparaître où et quand il lui plaît, et ne fait que parler aux acteurs, rien n'empêche qu'elle ne se soit faite dans un lieu fermé. J'ajoute que quand il y aurait quelque contradiction de ce côté-là, la disposition de nos théâtres serait cause qu'elle ne serait pas sensible aux spectateurs. Bien qu'ils représentent en effet des lieux fermés, comme une chambre ou une salle, ils ne sont fermés par haut que de nuages; et quand on voit descendre le char de Junon du milieu de ces nuages, qui ont été continuellement en vue, on ne fait pas une réflexion assez prompte ni assez sévère sur le lieu, qui devrait être fermé d'un lambris, pour y trouver quelque manque de justesse.

L'oracle de Vénus, au premier acte, est inventé avec assez d'artifice pour porter les esprits dans un sens contraire à sa vraie intelligence; mais il ne le faut pas prendre pour le vrai nœud de la pièce : autrement il serait achevé dès le troisième, où l'on en verrait le dénouement. L'action principale est le mariage de Persée avec Andromède : son nœud consiste en l'obstacle qui s'y rencontre du côté de Phinée, à qui elle est promise, et son dénouement en la mort de ce malheureux amant, après laquelle il n'y a plus d'obstacle. Je puis dire toutefois à ceux qui voudront prendre absolument cet oracle de Vénus pour le nœud de cette tragédie, que le troisième acte n'en éclaircit que les premiers vers, et que les derniers ne se font entendre que par l'apparition de Jupiter et des autres Dieux, qui termine la pièce.

La diversité de la mesure et de la croisure des vers que j'y ai mêlés me donne occasion de tâcher à les justifier, et particulièrement les stances dont je me suis servi en beaucoup d'autres poëmes, et contre qui je vois quantité de gens d'esprit et savants au théâtre témoigner aversion[1]. Leurs raisons sont diverses. Les uns ne les improuvent pas tout à fait, mais ils disent que c'est trop mendier l'acclamation populaire en faveur d'une antithèse, ou d'un trait spirituel qui ferme chacun de leurs couplets, et que cette affectation est une espèce de bassesse qui ravale trop la dignité de la tragédie. Je demeure d'accord que c'est quelque espèce de fard; mais puisqu'il embellit notre ouvrage, et nous aide à mieux atteindre le but de notre art, qui est de plaire, pourquoi devons-nous renoncer à cet avantage? Les anciens se servaient sans scrupule, et même dans les choses extérieures, de tout ce qui les pouvait faire arriver : Euripide vêtait ses héros malheureux d'habits déchirés, afin qu'ils fissent plus de pitié; et Aristophane fait commencer sa comédie des *Grenouilles* par Xanthias monté sur un âne, afin d'exciter plus aisément l'auditeur à rire. Cette objection n'est donc pas d'assez d'importance pour nous interdire l'usage d'une chose qui tout à la fois nous donne de la gloire, et de la satisfaction à nos spectateurs.

Il est vrai qu'il faut leur plaire selon les règles; et c'est ce qui rend l'objection des autres plus considérable, en ce qu'ils veulent trouver quelque chose d'irrégulier dans cette sorte de vers. Ils disent que bien qu'on parle en vers sur le théâtre, on est présumé ne parler qu'en prose; qu'il n'y a que cette sorte de vers que nous appelons alexandrins à qui l'usage laisse tenir nature de prose; que les stances ne sauraient passer que pour vers; et que, par conséquent, nous n'en pouvons mettre avec vraisemblance en la bouche d'un acteur, s'il n'a eu le loisir d'en faire, ou d'en faire faire par un autre, et de les apprendre par cœur.

J'avoue que les vers qu'on récite sur le théâtre sont présumés être prose : nous ne parlons pas d'ordinaire en vers, et sans cette fiction leur mesure et leur rime sortiraient du vraisemblable. Mais par quelle raison peut-on dire que les vers alexandrins tiennent nature de prose, et que ceux des stances n'en peuvent faire autant? Si nous en croyons Aristote, il faut se servir au théâtre des vers qui sont les moins vers, et qui se mêlent au langage commun, sans y penser, plus souvent que les autres. C'est par cette raison que les poëtes tragiques ont choisi l'ïambique plutôt que l'hexamètre, qu'ils ont laissé aux épopées, parce qu'en parlant sans dessein d'en faire, il se mêle dans notre discours plus d'ïambiques que d'hexamètres. Par cette même raison les vers des stances sont moins vers que les alexandrins, parce que parmi notre langage commun il se coule plus de ces vers inégaux, les uns courts, les autres longs, avec des rimes croisées et éloignées les unes des autres, que de ceux dont la mesure est toujours égale, et les rimes toujours mariées. Si nous nous en rapportons à nos poëtes grecs, ils ne se sont pas tellement arrêtés aux ïambiques, qu'ils ne se soient servis d'anapestiques, de trochaïques, et d'hexamètres même, quand ils l'ont jugé à propos. Sénèque en a fait autant qu'eux; et les Espagnols, ses compatriotes, changent aussi souvent de genre de vers que de scènes. Mais l'usage de France est autre, à ce qu'on prétend, et ne souffre que les alexandrins à tenir lieu de prose. Sur quoi je ne puis m'empêcher de demander qui sont les maîtres de cet usage, et qui peut l'établir sur le théâtre, que ceux qui l'ont occupé avec gloire depuis trente ans, dont pas un ne s'est défendu de mêler des stances dans quelques-uns des poëmes qu'ils y ont donnés; je ne dis pas dans tous, car il ne s'en offre pas d'occasion en tous, et elles n'ont pas bonne grâce à exprimer tout : la colère, la fureur, la menace, et tels autres mouvements violents, ne leur sont pas propres; mais les déplaisirs, les irrésolutions, les inquiétudes, les douces rêveries, et généralement tout ce qui peut souffrir à un acteur de prendre haleine, et de penser à ce qu'il doit dire ou résoudre, s'accommode merveilleusement avec leurs cadences inégales, et avec les pauses qu'elles font faire à la fin de chaque couplet. La surprise agréable que fait à l'oreille ce changement de cadences imprévu, rappelle puissamment les attentions égarées; mais il faut éviter le trop d'affectation. C'est par là que les stances du *Cid* sont inexcusables[2] et les mots de *peine* et *Chimène*, qui font la dernière rime de chaque strophe, marquent un jeu du côté du poëte, qui n'a rien de naturel du côté de l'acteur. Pour s'en écarter moins, il serait bon de ne régler point toutes les strophes sur la même mesure, ni sur les mêmes croisures de rimes, ni sur le même nombre de vers. Leur inégalité en ces trois articles approcherait davantage du discours ordinaire, et sentirait l'emportement et les élans d'un esprit qui n'a que sa passion pour guide, et non pas la régularité d'un auteur qui les arrondit sur le même tour. J'y ai hasardé celles de la Paix dans le prologue de la *Toison d'Or,* et tout le dialogue de celui de cette pièce, qui ne m'a pas mal réussi. Dans tout ce que je fais dire aux Dieux dans les machines, on trouvera le même ordre, ou le même désordre. Mais je ne pourrais approuver qu'un acteur, touché fortement de ce qui lui vient d'arriver dans la tragédie, se donnât la patience de faire des stances, ou prît soin d'en faire faire par un autre, et de les apprendre par cœur, pour exprimer son déplaisir devant les spectateurs. Ce sentiment étudié ne les toucherait pas beaucoup, parce que cette étude marquerait un esprit tranquille et un effort de mémoire plutôt qu'un effet de passion, outre que ce ne serait plus le sentiment présent de la personne qui parlerait, mais tout au plus celui qu'elle aurait eu en composant ces vers, et qui serait assez ralenti par cet effort de mémoire, pour faire que l'état de son âme ne répondît plus à ce qu'elle prononcerait. L'auditeur ne s'y laisserait pas émouvoir, et le verrait trop prémédité pour le croire véritable; du moins c'est l'opinion de Perse, avec lequel je finis cette remarque :

Nec nocte paratum
Plorabit, qui me volet incurvasse querela.

ACTEURS

Dieux dans les machines

JUPITER.
JUNON.
NEPTUNE.
MERCURE.
LE SOLEIL.
VÉNUS.
MELPOMÈNE.
ÉOLE.
CYMODOCE,
ÉPHYRE, } *Néréides.*
CYDIPPE,
Huits vents.

Hommes

CÉPHÉE, *Roi d'Éthiopie, père d'Andromède.*
CASSIOPE, *Reine d'Éthiopie.*
ANDROMÈDE, *Fille de Céphée et de Cassiope.*
PHINÉE, *Prince d'Éthiopie.*
PERSÉE, *Fils de Jupiter et de Danaé.*
TIMANTE, *Capitaine des gardes du roi.*
AMMON, *Ami de Phinée.*
AGLANTE,
CÉPHALIE, } *Nymphes d'Andromède.*
LIRIOPE,
Un Page de Phinée.
Chœur de peuple.
Suite du roi.

La scène est en Éthiopie, dans la ville capitale du royaume de Céphée, proche de la mer.

PROLOGUE

DÉCORATION DU PROLOGUE

L'ouverture du théâtre présente de front aux yeux des spectateurs une vaste montagne, dont les sommets inégaux, s'élevant les uns sur les autres, portent le faîte jusque dans les nues. Le pied de cette montagne est percé à jour par une grotte profonde qui laisse voir la mer en éloignement. Les deux côtés du théâtre sont occupés par une forêt d'arbres touffus et entrelacés les uns dans les autres. Sur un des sommets de la montagne paraît Melpomène, la muse de la tragédie; et à l'opposite dans le ciel, on voit le Soleil s'avancer dans un char tout lumineux, tiré par les quatre chevaux qu'Ovide lui donne.

LE SOLEIL, MELPOMÈNE

MELPOMÈNE

Arrête un peu ta course impétueuse :
Mon théâtre, Soleil, mérite bien tes yeux;
Tu n'en vis jamais en ces lieux
La pompe plus majestueuse :
J'ai réuni, pour la faire admirer,
Tout ce qu'ont de plus beau la France et l'Italie;
De tous leurs arts mes sœurs l'ont embellie :
Prête-moi tes rayons pour la mieux éclairer.
Daigne à tant de beautés, par ta propre lumière,
Donner un parfait agrément,
Et rends cette merveille entière
En lui servant toi-même d'ornement.

LE SOLEIL

Charmante muse de la scène,
Chère et divine Melpomène,
Tu sais de mon destin l'inviolable loi :
Je donne l'âme à toutes choses,
Je fais agir toutes les causes;
Mais quand je puis le plus, je suis le moins à moi;

Par une puissance plus forte
Le char que je conduis m'emporte :
Chaque jour sans repos doit et naître et mourir.
J'en suis esclave alors que j'y préside;
Et ce frein que je tiens aux chevaux que je guide
Ne règle que leur route, et les laisse courir.

MELPOMÈNE

La naissance d'Hercule et le festin d'Atrée
T'ont fait rompre ces lois;
Et tu peux faire encor ce qu'on t'a vu deux fois
Faire en même contrée.
Je dis plus : tu le dois en faveur du spectacle
Qu'au monarque des lis je prépare aujourd'hui;
Le ciel n'a fait que miracles en lui :
Lui voudrais-tu refuser un miracle?

LE SOLEIL

Non; mais je le réserve à ces bienheureux jours
Qu'ennoblira sa première victoire :
Alors j'arrêterai mon cours,
Pour être plus longtemps le témoin de sa gloire.
Prends cependant le soin de le bien divertir,
Pour lui faire avec joie attendre les années
Qui feront éclater les belles destinées
Des peuples que son bras lui doit assujettir.
Calliope ta sœur déjà d'un œil avide
Cherche dans l'avenir les faits de ce grand roi,
Dont les hautes vertus lui donneront emploi
Pour plus d'une *Iliade* et plus d'une *Énéide*.

MELPOMÈNE

Que je porte d'envie à cette illustre sœur,
Quoique j'aye à craindre pour elle
Que sous ce grand fardeau sa force ne chancelle !
Mais quel qu'en soit enfin le mérite et l'honneur,
J'aurai du moins cet avantage,
Que déjà je le vois, que déjà je lui plais,
Et que de ses vertus, et que de ses hauts faits
Déjà dans ses pareils je lui trace une image.
Je lui montre Pompée, Alexandre, César,
Mais comme des héros attachés à son char;

Et tout ce haut éclat où je les fais paraître
Lui peint plus qu'ils n'étaient, et moins qu'il ne doit être.

LE SOLEIL

Il en effacera les plus glorieux noms,
Dès qu'il pourra lui-même animer son armée;
Et tout ce que d'eux tous a dit la Renommée
Te fera voir en lui le plus grand des Bourbons.
Son père et son aïeul tout rayonnants de gloire,
Ces grands rois qu'en tous lieux a suivis la Victoire,
Lui voyant emporter sur eux le premier rang,
En deviendraient jaloux s'il n'était pas leur sang.
Mais vole dans mon char, muse; je veux t'apprendre
Tout l'avenir d'un roi qui t'est si précieux.

MELPOMÈNE

Je sais déjà ce qu'on doit en attendre,
Et je lis chaque jour son destin dans les cieux.

LE SOLEIL

Viens donc, viens avec moi faire le tour du monde;
Qu'unissant ensemble nos voix,
Nous fassions résonner sur la terre et sur l'onde
Qu'il est et le plus jeune et le plus grand des rois.

MELPOMÈNE

Soleil, j'y vole; attends-moi donc, de grâce.

LE SOLEIL

Viens, je t'attends, et te fais place.

MELPOMÈNE *vole dans le char du Soleil, et y ayant pris place auprès de lui, ils unissent leurs voix, et chantent cet air à la louange du Roi. Le dernier vers de chaque couplet est répété par le chœur de la musique.*

Cieux, écoutez; écoutez, mers profondes;
Et vous, antres et bois,
Affreux déserts, rochers battus des ondes,
Redites après nous d'une commune voix :
« Louis est le plus jeune et le plus grand des rois. »

La majesté qui déjà l'environne
Charme tous ses François;

Il est lui seul digne de sa couronne;
Et quand même le ciel l'aurait mise à leur choix,
Il serait le plus jeune et le plus grand des rois.

C'est à vos soins, Reine, qu'on doit la gloire
De tant de grands exploits;
Ils sont partis suivis de la victoire;
Et l'ordre merveilleux dont vous donnez ses lois
Le rend et le plus jeune et le plus grand des rois.

LE SOLEIL

Voilà ce que je dis sans cesse
Dans tout mon large tour.
Mais c'est trop retarder le jour;
Allons, muse, l'heure me presse,
Et ma rapidité
Doit regagner le temps que sur cette province,
Pour contempler ce prince,
Je me suis arrêté.

Le Soleil part avec rapidité, et enlève Melpomène avec lui dans son char, pour aller publier ensemble la même chose au reste de l'univers.

ACTE PREMIER

DÉCORATION DU PREMIER ACTE

Cette grande masse de montagnes et ces rochers élevés les uns sur les autres qui la composaient, ayant disparu en un moment par un merveilleux artifice, laissent voir en leur place la ville capitale du royaume de Céphée, ou plutôt la place publique de cette ville. Les deux côtés et le fond du théâtre sont des palais magnifiques, tous différents de structure, mais qui gardent admirablement l'égalité et les justesses de la perspective. Après que les yeux ont eu loisir de se satisfaire à considérer leur beauté, la reine Cassiope paraît comme passant par cette place pour aller au temple : elle est conduite par Persée, encore inconnu, mais qui passe pour un cavalier de grand mérite qu'elle entretient des malheurs publics, attendant que le Roi la rejoigne pour aller à ce temple de compagnie.

SCÈNE PREMIÈRE

CASSIOPE, PERSÉE, SUITE DE LA REINE

CASSIOPE

GÉNÉREUX inconnu, qui chez tous les monarques
Portez de vos vertus les éclatantes marques,
Et dont l'aspect suffit pour convaincre nos yeux
Que vous sortez du sang ou des rois ou des Dieux,
Puisque vous avez vu le sujet de ce crime
Que chaque mois expie une telle victime,
Cependant qu'en ce lieu nous attendrons le Roi,
Soyez-y juste juge entre les Dieux et moi.
Jugez de mon forfait, jugez de leur colère;
Jugez s'ils ont eu droit d'en punir une mère,
S'ils ont dû faire agir leur haine au même instant.

PERSÉE

J'en ai déjà jugé, Reine, en vous imitant;
Et si de vos malheurs la cause ne procède
Que d'avoir fait justice aux beautés d'Andromède,
Si c'est là ce forfait digne d'un tel courroux,
Je veux être à jamais coupable comme vous.
Mais comme un bruit confus m'apprend ce mal extrême,
Ne le puis-je, Madame, apprendre de vous-même
Pour mieux renouveler ce crime glorieux
Où soudain la raison est complice des yeux?

CASSIOPE

Écoutez : la douleur se soulage à se plaindre;
Et quelques maux qu'on souffre ou que l'on aye à crain-
Ce qu'un cœur généreux en montre de pitié [dre,
Semble en notre faveur en prendre la moitié.
Ce fut ce même jour qui conclut l'hyménée
De ma chère Andromède avec l'heureux Phinée :
Nos peuples, tout ravis de ces illustres nœuds,
Sur les bords de la mer dressèrent force jeux;
Elle en donnait les prix. Dispensez ma tristesse
De vous dépeindre ici la publique allégresse;
On décrit mal la joie au milieu des malheurs,
Et sa plus douce idée est un sujet de pleurs.
O jour, que ta mémoire encore m'est cruelle !
Andromède jamais ne me parut si belle;
Et voyant ses regards s'épandre sur les eaux
Pour jouir et juger d'un combat de vaisseaux :
« Telle, dis-je, Vénus sortit du sein de l'onde,
Et promit à ses yeux la conquête du monde,
Quand elle eut consulté sur leur éclat nouveau
Les miroirs vagabonds de son flottant berceau. »
A ce fameux spectacle on vit les Néréides
Lever leurs moites fronts de leurs palais liquides,
Et pour nouvelle pompe à ces nobles ébats
A l'envi de la terre étaler leurs appas.
Elles virent ma fille; et leurs regards à peine
Rencontrèrent les siens sur cette humide plaine,
Que par des traits plus forts se sentant effacer,
Éblouis et confus je les vis s'abaisser,
Examiner les leurs, et sur tous leurs visages
En chercher d'assez vifs pour braver nos rivages.
Je les vis se choisir jusqu'à cinq et six fois,

Et rougir aussitôt nous comparant leur choix;
Et cette vanité qu'en toutes les familles
On voit si naturelle aux mères pour leurs filles,
Leur cria par ma bouche : « En eſt-il parmi vous,
O nymphes ! qui ne cède à des attraits si doux?
Et pourrez-vous nier, vous autres immortelles,
Qu'entre nous la nature en forme de plus belles? »
Je m'emportais sans doute, et c'en était trop dit :
Je les vis s'en cacher de honte et de dépit;
J'en vis dedans leurs yeux les vives étincelles :
L'onde qui les reçut s'en irrita pour elles;
J'en vis enfler la vague, et la mer en courroux
Rouler à gros bouillons ses flots jusques à nous.
  C'eût été peu des flots : la soudaine tempête,
Qui trouble notre joie et dissipe la fête,
Enfante en moins d'une heure et pousse sur nos bords
Un monſtre contre nous armé de mille morts.
Nous fuyons, mais en vain; il suit, il brise, il tue;
Chaque victime eſt morte aussitôt qu'abattue.
Nous ne voyons qu'horreur, que sang de toutes parts;
Son haleine eſt poison, et poison ses regards :
Il ravage, il désole et nos champs et nos villes,
Et contre sa fureur il n'eſt aucuns asiles.
  Après beaucoup d'efforts et de vœux superflus,
Ayant souffert beaucoup, et craignant encor plus,
Nous courons à l'oracle en de telles alarmes;
Et voici ce qu'Ammon répondit à nos larmes :
« Pour apaiser Neptune, exposez tous les mois
Au monſtre qui le venge une fille à son choix,
Jusqu'à ce que le calme à l'orage succède;
          Le sort vous montrera
          Celle qu'il agréera :
Différez cependant les noces d'Andromède. »
Comme dans un grand mal un moindre semble doux,
Nous prenons pour faveur ce reſte de courroux.
Le monſtre disparu nous rend un peu de joie :
On ne le voit qu'aux jours qu'on lui livre sa proie.
Mais ce remède enfin n'eſt qu'un amusement :
Si l'on souffre un peu moins, on craint également;
Et toutes nous tremblons devant une infortune
Qui toutes nous menace avant qu'en frapper une.
La peur s'en renouvelle au bout de chaque mois;
J'en ai cru de frayeur déjà mourir cinq fois.

Déjà nous avons vu cinq beautés dévorées,
Mais des beautés, hélas ! dignes d'être adorées,
Et de qui tous les traits, pleins d'un céleste feu,
Ne cédaient qu'à ma fille, et lui cédaient bien peu;
Comme si choisissant de plus belle en plus belle,
Le sort par ces degrés tâchait d'approcher d'elle,
Et que pour élever ses traits jusques à nous,
Il essayât sa force et mesurât ses coups.
  Rien n'a pu jusqu'ici toucher ce dieu barbare;
Et le sixième choix aujourd'hui se prépare :
On va le faire au temple; et je sens malgré moi
Des mouvements secrets redoubler mon effroi.
Je fis hier à Vénus offrir un sacrifice,
Qui jamais à mes vœux ne parut si propice;
Et toutefois mon cœur à force de trembler,
Semble prévoir le coup qui le doit accabler.
  Vous donc, qui connaissez et mon crime et sa peine,
Dites-moi s'il a pu mériter tant de haine,
Et si le ciel devait tant de sévérité
Aux premiers mouvements d'un peu de vanité.

PERSÉE

Oui, Madame, il est juste; et j'avouerai moi-même
Qu'en le blâmant tantôt j'ai commis un blasphème.
Mais vous ne voyez pas, dans votre aveuglement,
Quel grand crime il punit d'un si grand châtiment.
  Les nymphes de la mer ne lui sont pas si chères
Qu'il veuille s'abaisser à suivre leurs colères;
Et quand votre mépris en fit comparaison,
Il voyait mieux que vous que vous aviez raison.
Il venge, et c'est de là que votre mal procède,
L'injustice rendue aux beautés d'Andromède.
Sous les lois d'un mortel votre choix l'asservit !
Cette injure est sensible aux Dieux qu'elle ravit,
Aux Dieux qu'elle captive; et ces rivaux célestes
S'opposent à des nœuds à sa gloire funestes,
En sauvent les appas qui les ont éblouis,
Punissent vos sujets qui s'en sont réjouis.
Jupiter, résolu de l'ôter à Phinée,
Exprès par son oracle en défend l'hyménée.
A sa flamme peut-être il veut la réserver;
Ou s'il peut se résoudre enfin à s'en priver,
A quelqu'un de ses fils sans doute il la destine;

Et voilà de vos maux la secrète origine.
Faites cesser l'offense, et le même moment
Fera cesser ici son juste châtiment.

CASSIOPE

Vous montrez pour ma fille une trop haute estime,
Quand pour la mieux flatter vous me faites un crime,
Dont la civilité me force de juger
Que vous ne m'accusez qu'afin de m'obliger.
Si quelquefois les Dieux pour des beautés mortelles
Quittent de leur séjour les clartés éternelles,
Ces mêmes Dieux aussi, de leur grandeur jaloux,
Ne font pas chaque jour ce miracle pour nous;
Et quand pour l'espérer je serais assez folle,
Le Roi, dont tout dépend, est homme de parole;
Il a promis sa fille, et verra tout périr
Avant qu'à se dédire il veuille recourir.
Il tient cette alliance et glorieuse et chère :
Phinée est de son sang, il est fils de son frère.

PERSÉE

Reine, le sang des Dieux vaut bien celui des rois...
Mais nous en parlerons encor quelque autre fois.
Voici le Roi qui vient.

SCÈNE II

CÉPHÉE, CASSIOPE, PHINÉE, PERSÉE,
SUITE DU ROI ET DE LA REINE

CÉPHÉE

N'en parlons plus, Phinée,
Et laissons d'Andromède aller la destinée.
Votre amour fait pour elle un inutile effort :
Je la dois comme une autre au triste choix du sort.
Elle est cause du mal, puisqu'elle l'est du crime :
Peut-être qu'il la veut pour dernière victime,
Et que nos châtiments deviendraient éternels,
S'ils ne pouvaient tomber sur les vrais criminels.

PHINÉE

Est-ce un crime en ces lieux, Seigneur, que d'être belle?

CÉPHÉE

Elle a rendu par là sa mère criminelle.

PHINÉE

C'eſt donc un crime ici que d'avoir de bons yeux
Qui sachent bien juger d'un tel présent des cieux?

CÉPHÉE

Qui veut bien en juger n'a point le privilège
D'aller jusqu'au blasphème et jusqu'au sacrilège.

CASSIOPE

Ce blasphème, Seigneur, de quoi vous m'accusez...

CÉPHÉE

Madame, après les maux que vous avez causés,
C'eſt à vous à pleurer, et non à vous défendre.
Voyez, voyez quel sang vous avez fait répandre;
Et ne laissez paraître, en cette occasion
Que larmes, que soupirs, et que confusion.

(A Phinée.)

Je vous le dis encore, elle la crut trop belle;
Et peut-être le sort l'en veut punir en elle :
Dérober Andromède à cette élection,
C'eſt dérober sa mère à sa punition.

PHINÉE

Déjà cinq fois, Seigneur, à ce choix exposée,
Vous voyez que cinq fois le sort l'a refusée.

CÉPHÉE

Si le courroux du ciel n'en veut point à ses jours,
Ce qu'il a fait cinq fois il le fera toujours.

PHINÉE

Le tenter si souvent, c'eſt lasser sa clémence :
Il pourra vous punir de trop de confiance :
Vouloir toujours faveur, c'eſt trop lui demander,
Et c'eſt un crime enfin que de tant hasarder.
Mais quoi? n'eſt-il, Seigneur, ni bonté paternelle,
Ni tendresse du sang qui vous parle pour elle?

CÉPHÉE

Ah ! ne m'arrachez point mon sentiment secret.
Phinée, il eſt tout vrai, je l'expose à regret.
J'aime que votre amour en sa faveur me presse;
La nature en mon cœur avec lui s'intéresse;
Mais elle ne saurait mettre d'accord en moi
Les tendresses d'un père et les devoirs d'un roi;
Et par une juſtice à moi-même sévère,
Je vous refuse en roi ce que je veux en père.

PHINÉE

Quelle eſt cette juſtice, et quelles sont ces lois
Dont l'aveugle rigueur s'étend jusques aux rois?

CÉPHÉE

Celles que font les Dieux, qui, tous rois que nous sommes,
Punissent nos forfaits ainsi que ceux des hommes,
Et qui ne nous font part de leur sacré pouvoir
Que pour le mesurer aux règles du devoir[3].
Que diraient mes sujets si je me faisais grâce,
Et si, durant qu'au monſtre on expose leur race,
Ils voyaient, par un droit tyrannique et honteux,
Le crime en ma maison, et la peine sur eux?

PHINÉE

Heureux sont les sujets, heureuses les provinces
Dont le sang peut payer pour celui de leurs princes !

CÉPHÉE

Mais heureux eſt le prince, heureux sont ses projets,
Quand il se fait juſtice ainsi qu'à ses sujets !
Notre oracle, après tout, n'excepte point ma fille :
Ses termes généraux comprennent ma famille;
Et ne confondre pas ce qu'il a confondu,
C'eſt se mettre au-dessus du dieu qui l'a rendu.

PERSÉE

Seigneur, s'il m'eſt permis d'entendre votre oracle,
Je crois qu'à sa prière il donne peu d'obſtacle;
Il parle d'Andromède, il la nomme, il suffit,
Arrêtez-vous pour elle à ce qu'il vous en dit :
La séparer longtemps d'un amant si fidèle,
C'eſt tout le châtiment qu'il semble vouloir d'elle.